초등학생을 위한

표준 한국어

국립국어원 기획 | 이병규 외 집필

학습 도구

1~2학년

초등학생을 위한

표준 한국어

국립국어원 기획 | 이병규 외 집필

학습 도구

1~2학년

마리북스

발간사

　다문화가정 학생 수는 매년 증가하여 2018년 12만여 명에 이릅니다. 그런데 중도입국자녀나 외국인 가정 자녀와 같은 다문화 학생들은 학령기 학생에게 기대되는 한국어 능력 수준에 이르지 못하는 경우가 많습니다. 이는 다문화 학생이 교과 학습 능력을 갖추지 못하거나 또래 집단 문화에 적응하지 못하는 결과로 이어지고, 결국 한국 사회에 안정적으로 정착하는 데 어려움을 겪는 주요한 원인이 됩니다. 따라서 다문화 학생을 위한 교육 지원은 보다 전문적이고 체계적으로 이루어져야 합니다.

　학령기 한국어 학습자를 위한 정부 지원은 교육부에서 2012년에 '한국어 교육과정'을 개발하여 고시하였고, 국립국어원에서 교육과정을 반영한 학교급별 교재를 개발하면서 본격적으로 이루어 졌습니다. 그 후 '한국어 교육과정'이 개정·고시(교육부 고시 제2017-131호)되었습니다. 이에 국립국어원에서는 2017년부터 개정된 교육과정에 따라 한국어 교재를 개발하고 있으며, 그 첫 번째 결과물로 초등학교 교재 11권, 중고등학교 교재 6권을 출판하게 되었습니다. 교사용 지도서는 별도로 출판은 하지 않지만 국립국어원 한국어교수학습샘터에 게시해 현장 교사들이 무료로 이용할 수 있게 하였습니다.

　이번 교재 개발에는 언어학 및 교육학 전문가가 집필자로 참여하여 한국어 교육의 전문적 내용을 쉽고 친근하게 구성하기 위해 노력하였습니다. 특히 이 교재는 언어 능력 향상뿐만 아니라 서로 다른 문화를 이해하여, 한국 사회 구성원으로서 정체성을 확립하는 데 도움이 되도록 개발하였습니다.

　아무쪼록《초등학생을 위한 표준 한국어》교재가 다문화가정 학생들이 한국어를 쉽고 재미있게 배워서 한국 사회에서 자신의 꿈을 키워 나가는 데 도움을 줄 수 있기를 바랍니다.

　끝으로 이 교재의 개발을 위해 최선의 노력을 기울여 주신 교재 개발진과 출판사에 깊은 감사의 말씀을 드립니다.

2019년 2월
국립국어원장 소강춘

머리말

2012년 '한국어(KSL) 교육과정'이 고시되면서 초등 및 중등 학습자를 위한 한국어(KSL) 교육은 공교육의 체제 속에서 전개되어 왔습니다. 모어 배경과 문화, 생활 경험과 언어적 환경 등에서 매우 다양한 한국어(KSL) 학습자들은 '한국어(KSL) 교육과정'이 적용된 《표준 한국어》 교재를 배워 왔고 일상생활과 학교생활에 필요한 한국어 능력을 길러 왔습니다. 이제 학교에서의 한국어(KSL) 교육은 새로운 도약을 목전에 두고 있다고 할 수 있습니다. 지난 2017년에 '한국어(KSL) 교육과정'이 개정되면서, 개정 교육과정이 적용된 새로운 교재 11권이 세상에 빛을 보게 되었기 때문입니다.

새로 발행되는 《초등학생을 위한 표준 한국어》 교재 편찬에서는 두 가지 원칙을 분명히 하고 있습니다. 첫째, 개정된 교육과정의 관점과 내용 체계, 교재 개발을 위한 기초 연구의 성과 등을 충실하게 반영하는 것입니다. 〈의사소통 한국어〉 교재와 〈학습 도구 한국어〉 교재를 분권하는 것이나 학령의 특수성을 고려한 저학년용, 고학년용 교재의 구분 등은 이러한 맥락에서 실행되었습니다. 또한 교육과정에서 제시한 언어 재료는 주요한 내용 설정의 준거가 되었습니다. 더불어 '내용 모듈화'의 방안을 살려 학습자의 특성과 교육 현장의 필요에 적합한 내용 선택 및 재구성이 가능하도록 하였습니다.

둘째, 초등학생 한국어(KSL) 학습자와 교육 현장을 충분히 이해하고 고려하는 것입니다. 이를 위해 연구 집필진은 초등학생 한국어(KSL) 학습자의 언어 환경, 한국어 학습의 조건과 요구 등을 파악하는 데에 많은 노력을 기울였습니다. 초등학생 학습자의 일상, 학교생활, 교과 수업의 장면을 주제화하고 이러한 주제를 중심으로 필수 어휘와 문법, 표현을 재선정하였습니다. 초등학생들에게 적합한 이미지 중심의 내용 제시, 놀이 활동의 강화, 한글 교육 내용의 특화 등도 강조하였습니다.

개정 《초등학생을 위한 표준 한국어》 교재의 편찬을 위해 많은 관심과 지원을 아끼지 않은 국립 국어원 소강춘 원장님을 비롯한 관계자 여러분께 감사드립니다. 고된 작업 일정과 어려운 여건 속에서도 진심과 열정으로 임해 주셨던 연구 집필진 선생님들께, 그리고 마리북스 출판사에도 깊은 감사의 마음을 전합니다.

언어는 사람의 삶, 그 자체입니다. 초등학생 학습자들이 이 책을 가지고 한국어를 배우는 것으로 삶의 큰 기쁨과 힘을 얻기를 바랍니다. 새로운 세상을 열고 새로운 존재로서의 자신을 단단히 깨닫게 되기를 바라는 마음입니다.

2019년 2월
연구 책임자 이병규

〈학습 도구 한국어〉 1~2학년 교재는 초등학교 1학년이나 2학년 학생들이 교과 학습을 수행하는 데 필요한 한국어 능력을 기를 수 있도록 개발되었습니다. 수업에서 자주 쓰는 한국어 어휘와 표현을 배울 수 있도록 하였고, 읽고 쓰는 문식 활동을 충분히 경험하도록 하였습니다. 전체 16단원 중 1단원에서 8단원은 〈의사소통 한국어〉 3권을 배우는 학생들이 선택할 수 있고, 9단원에서 16단원은 〈의사소통 한국어〉 4권을 배우는 학생들이 선택할 수 있도록 연계되어 있습니다. 각 단원마다 학습 주제에 맞는 다양한 학습 도구 어휘를 배울 수 있도록 하였으며, 놀이/협동 활동과 복습 활동은 별도의 차시 내용으로 제시하였습니다.

단원 구성과 교재 활용 방법

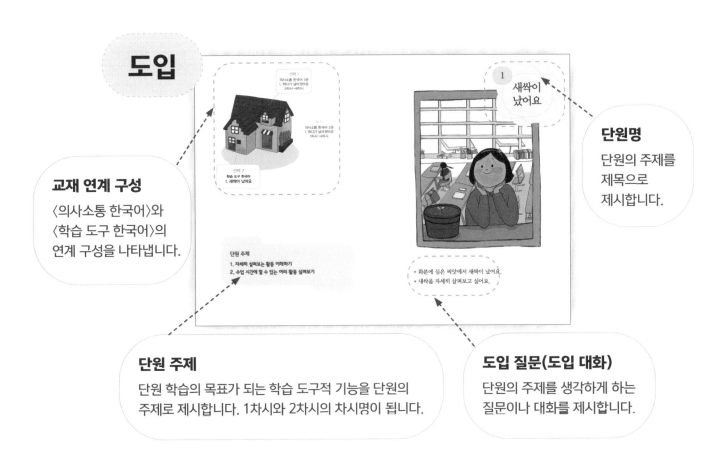

도입

교재 연계 구성
〈의사소통 한국어〉와 〈학습 도구 한국어〉의 연계 구성을 나타냅니다.

단원명
단원의 주제를 제목으로 제시합니다.

단원 주제
단원 학습의 목표가 되는 학습 도구적 기능을 단원의 주제로 제시합니다. 1차시와 2차시의 차시명이 됩니다.

도입 질문(도입 대화)
단원의 주제를 생각하게 하는 질문이나 대화를 제시합니다.

1차시

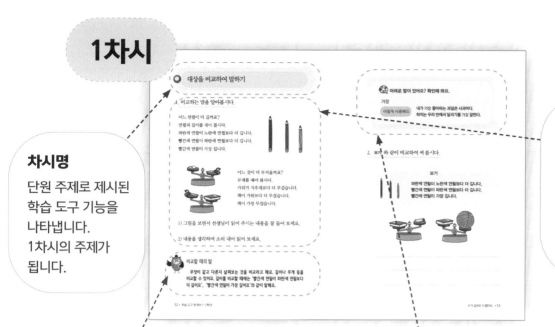

차시명

단원 주제로 제시된
학습 도구 기능을
나타냅니다.
1차시의 주제가
됩니다.

큰 번호 활동

차시 주제로 제시된
학습 도구 기능을
수행하며 한국어
표현과 어휘를
사용할 수 있도록
합니다.

부엉이 선생님

차시 주제에 맞는
주요 학습 개념을 제시합니다.

어휘 용례 확인 활동

큰 번호 활동을 수행할 때 사용하는 어휘들 중
어렵거나 자주 사용되는 어휘들의 용례를
확인합니다. '한국어 교육과정'에서 제시된
학습 도구 어휘들 중에서 주제에 맞게 선별된
어휘들을 배우도록 합니다. 익힘책이 활용됩니다.

2차시

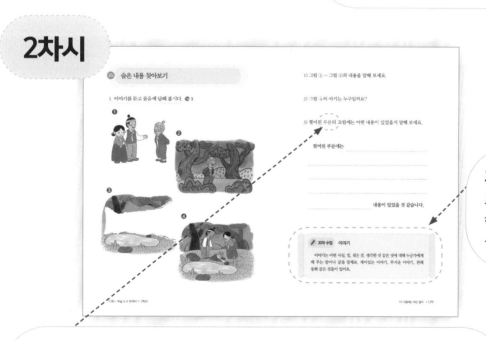

꼬마 수업

주요 교과와 연계된
학습 개념을
설명합니다.

본문의 파란색 표시 어휘

'한국어 교육과정'에서 제시된 학습 도구 어휘들 중에서 주제에 맞게 선별된 어휘들입니다.
큰 번호 활동 중에 선택적으로 어휘 학습이 이루어지도록 합니다. 익힘책이 활용됩니다.

3차시

놀이/협동 활동 차시명

3차시의 구성입니다.
단원의 주제에 맞는
놀이 활동이나 협동
활동을 제시합니다.

놀이 활동이나
협동 활동을 하며
사용한 한국어를
다시 떠올려 보도록
합니다. 연습 활동을
제시합니다.
필요에 따라 익힘책을
활용합니다.

놀이 활동이나 협동 활동을 안내합니다.
놀이나 협동을 할 때 사용하는 한국어를 제시합니다.

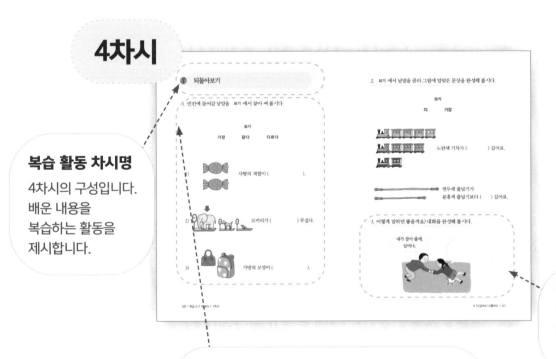

4차시

복습 활동 차시명

4차시의 구성입니다.
배운 내용을
복습하는 활동을
제시합니다.

단원에서 배운
학습 도구적 기능을
다시 떠올리고
수행해 보도록 합니다.

단원에서 배운 어휘와 표현을 다시 떠올리고 사용해
보도록 합니다. 어휘나 표현 학습 활동을 제시합니다.

◈ 필수 내용과 선택 내용의 구성

《초등학생을 위한 표준 한국어》는 〈의사소통 한국어〉 교재와 〈학습 도구 한국어〉 교재로 나뉘어 있습니다. 〈학습 도구 한국어〉는 〈의사소통 한국어〉 3권이나 4권을 배우는 학생들이 선택하여 사용할 수 있습니다. 교사와 학생은 필요에 따라 〈의사소통 한국어〉 5차시~8차시 내용을 선택하여 공부하거나 (선택 내용 1) 학년에 맞는 〈학습 도구 한국어〉를 선택하여 공부하면 됩니다(선택 내용 2).

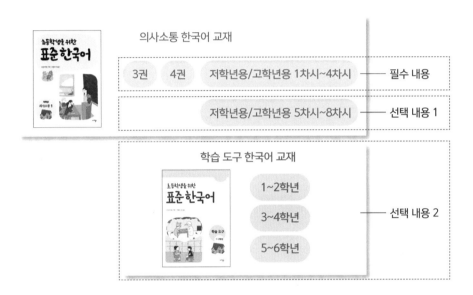

◈ 교과 학습 활동의 바탕을 이루는 한국어 교육 내용의 체계화

〈학습 도구 한국어〉는 초등학교의 학년군별 주요 교과 내용을 중심으로 수업 시간에 자주 사용되는 한국어 어휘와 표현을 제시하고 있습니다. 교과 학습의 주제와 기능을 학년에 맞는 수업 맥락 속에서 경험하고 이해하도록 하였습니다.

◈ 놀이 활동이나 협동 활동의 특화

학년에 맞는 놀이 활동이나 협동 활동을 별도의 차시 내용으로 구성하였으며, 이 과정에서 자연스럽게 한국어 학습이 이루어지도록 하였습니다.

◈ 다양한 어휘 내용의 제시

용례를 제시하거나 개념을 설명하는 별도의 어휘 내용을 구성하였고 교재의 다양한 맥락에서 학습 도구 어휘를 배울 수 있도록 하였습니다. 어휘 내용은《초등학생을 위한 표준 한국어 익힘책》 교재를 활용하면 더욱 효과적으로 접근할 수 있습니다.

이 책의 구성

단원	단원명	단원 주제	학습 도구 어휘				놀이/협동 활동
			부엉이 선생님	꼬마 수업	용례 제시	선택 어휘	
1	새싹이 났어요	1. 자세히 살펴보는 활동 이해하기 2. 수업 시간에 할 수 있는 여러 활동 살펴보기	학습 목표 발표할 때의 말	동그라미	모습	활동 설명 이용 자세히 살펴보다	'눈을 감고 그려요' 놀이
2	의미를 찾아요	1. 그림이 나타내는 의미를 찾아보기 2. 예상해서 답하기		한글 자음자와 모음자의 순서	모양 주변 경험 규칙 배열 예상	무엇 의미 뜻	'무늬 꾸미기' 놀이
3	궁금한 것을 물어봐요	1. 우리 반이 함께 할 일 계획하기 2. 가족 행사표 만들기		가족 행사	조사 계획 알아보다 체험	만들다 언제 대화 가족	'같이 가자' 놀이
4	더 길어요 더 짧아요	1. 대상을 비교하여 말하기 2. 바르고 고운 말 사용하기	비교할 때의 말	바르고 고운 말	가장 다르다 같다	재다 기분 반대 찾다 따라 쓰다 쌓기 나무	'비교하기' 놀이, 쌓기 나무 놀이
5	답을 구해요	1. 수학 문제 해결하기 2. 문제점을 찾아 해결하기	생각 그물		풀다 구하다 해결 문제점 찾다	계산 표현 이유 정리	'문제 해결 방법 찾기' 말판 놀이
6	수행 평가는 이렇게	1. 친구의 발표를 듣고 칭찬하기 2. 수행 평가 과정 익히기	수행 평가		적당하다 과정 방법 고르다 다시	발표 칭찬 단원 번호	시험지 채우기, 모으기 활동
7	책 속으로 풍덩	1. 주인공이 되어 말하기 2. 독서 기록장 쓰기		독서 기록장	기분 실감 나다 등장 상상	활동 그림 완성 바꾸다	등장인물 바꾸어 쓰기

8	나누어 보고 묶어 보고	1. 같은 모양끼리 묶기 2. 동물을 여러 가지 방법으로 분류하기			묶다 나누다 분류	사물 모양	'모양 찾기' 카드 놀이
9	하나하나 설명해요	1. 순서대로 관찰하고 말하기 2. 자연을 관찰하고 쓰기	관찰		순서 꾸미다 설명	과정	개구리 종이접기
10	다음에는 무슨 일이	1. 일의 차례 생각하기 2. 숨은 내용 찾아보기		이야기	차례 바르다	나타내다 부분	'열 고개' 놀이
11	알고 싶어요	1. 조사하는 활동 살펴보기 2. 이야기 속 인물 소개하기	조사		다양하다 인물 소개	방법 완성	'친구 명함 만들기' 놀이
12	어떤 점이 다를까요	1. 수의 크기 비교하기 2. 여러 가지 모습 비교하기	비교	수 모형	사용 세다 공통적 차이	크기 크다 작다 모두 대상	'물건 찾기' 놀이
13	특징이 있어요	1. 부분으로 나누어 설명하기 2. 사물의 여러 가지 특징을 찾아보기	나누어 살펴보기		알려 주다 특징 떠오르다 생김새	소개 놀이 사이좋다 사물 부분	'부분 그림 보고 알아맞히기' 놀이
14	잘 했는지 확인해요	1. 내가 한 일 되돌아보기 2. 친구의 작품 평가하기	평가		실천 알맞다 작품 드러나다	빈칸 표시 고치다 다양하다	'누가 누가 잘했나' 활동
15	어떻게 해결할까요	1. 과학 문제 해결하기 2. 칠교판으로 모양 만들기		칠교판	제시 추측 맞다 주의	해결 겨울잠 빈 곳 순서	칠교놀이
16	발명가가 될래요	1. 발명하고 싶은 물건 소개하기 2. 상상한 내용 표현하기		여러 가지 일기	발명 직접 표현	상상	'상상해서 함께 그리기' 활동

성우(한국)

지민(한국)

저밍(중국)

하미(베트남)

빈센트(케냐)

촘푸(태국)

요우타(일본)

아비가일(필리핀)

리암(미국)

아이다(키르기스스탄)

자르갈(몽골)

김세현 선생님

박혜연 선생님

차례

선택 1
의사소통 한국어 3권
1. 뛰다가 넘어졌어요
5차시~8차시

필수
의사소통 한국어 3권
1. 뛰다가 넘어졌어요
1차시~4차시

선택 2
학습 도구 한국어
1. 새싹이 났어요

단원 주제

1. 자세히 살펴보는 활동 이해하기
2. 수업 시간에 할 수 있는 여러 활동 살펴보기

새싹이 났어요

- 화분에 심은 씨앗에서 새싹이 났어요.
- 새싹을 자세히 살펴보고 싶어요.

자세히 살펴보는 활동 이해하기

1. 선생님의 설명을 잘 들어 봅시다.

> 새싹이 났어요.
> 잎이 아주 작아요. 어떤 모습일까요?
> 돋보기로 보면 작은 것도 크게 보여요.
> 돋보기를 이용해서 작은 잎을 자세히 살펴봐요.

1) 밑줄 그은 문장을 소리 내어 읽어 보세요.

2) 하미가 되어 물음에 답해 보세요.

　① 무엇을 자세히 살펴보려고 해요?

　② 자세히 살펴볼 때 무엇을 이용해요?

어려운 말이 있어요? 확인해 봐요.

모습

이렇게 사용해요　나는 친구의 웃는 모습이 좋다.
달팽이가 천천히 움직이는 모습을 보았다.

2. 자세히 살펴본 내용을 읽고 물음에 답해 봅시다.

돋보기로 보니 새싹이 크게 보여요.
아, 잎은 모두 세 개예요.
잎의 모양은 서로 달라요.
큰 잎이 두 개 있어요.
큰 잎 사이에 아주 작은 잎이 있어요.

1) 밑줄 그은 문장을 소리 내어 다시 읽어 보세요.

2) 하미가 자세히 살펴본 내용이 무엇인지 발표해 보세요.

수업 시간에 할 수 있는 여러 활동 살펴보기

1. 선생님의 설명을 주의해서 들어 봅시다.

1) 선생님의 설명을 들으면서 보기 에서 알맞은 말을 골라 빈칸에 써 보세요.

보기

단원   준비물   확인

모두 교과서를 잘 보세요.

☐☐의 제목은 '바르게 써요'예요.

학습 목표는 '낱말을 정확하게 쓸 수 있다'예요.

여러분, 모두 연필을 가지고 왔어요?

오늘 수업의 ☐☐☐이에요.

쓰기 연습을 할 때는 연필이 필요해요.

연필을 준비해 왔는지 모두 ☐☐을 해 보세요.

2

바르게
써요

글자의 짜임을 알고
낱말을 정확하게
써 봅시다.

학습 목표

수업 시간에 선생님께서 '학습 목표'를 아래와 같이 써 주십니다.
공부할 때 중요하게 생각해야 하는 것입니다.

·학습 목표: 낱말을 정확하게 쓸 수 있다.

2) 선생님의 설명을 바른 자세로 듣고 있어요. 바른 자세를 나타내는
   그림과 말을 선으로 연결해 보세요.

① 등과 어깨, 허리를
   잘 펴고 있다.

② 두 손은 모아서
   무릎 위에 둔다.

③ 두 발을 잘
   모으고 있다.

④ 고개를 들고
   선생님을 바라본다.

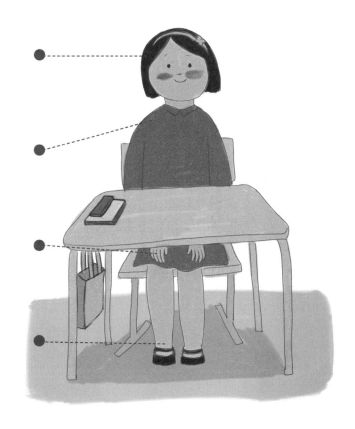

2. 발표하는 활동을 알아봅시다.

1) 하미가 수업 시간에 발표를 하고 있어요. 소리 내어 읽어 보세요.

저는 무의 씨앗을 심었습니다.
씨앗을 심고 3일 후에 새싹이 났습니다.
작고 동그란 잎이 두 개 있습니다.
<u>새싹의 이름은 동그라미로 지었다.</u>
잎이 동그랗기 때문입니다.

① 밑줄 그은 부분은 발표할 때 올바른 말이 아니에요. 틀린 부분을
고쳐 봅시다.

새싹의 이름은 동그라미로 지었다.

→ 새싹의 이름은 동그라미로 (   ).

발표할 때의 말

발표할 때는 듣는 사람을 생각해서 예의 바르게 말해요.
높임말을 사용해야 해요.

② 여러분은 새싹의 이름을 무엇으로 정하고 싶어요? 그 이름을 정한 까닭은 무엇이에요? 아래 밑줄에 써 보세요.

새싹의 이름:

이름을 정한 까닭:

③ ②번의 내용을 친구들 앞에서 발표해 보세요.

2) 자신이 발표를 잘했는지 확인해 봐요. 소리 내어 읽으면서 표시해 보세요.

똑바로 서서 바른 자세로 발표했다.

친구들이 잘 들을 수 있는 목소리로 발표했다.

높임말로 예의 바르게 발표했다.

1. '눈을 감고 그려요' 놀이를 해 봅시다.

① 두 명이 짝이 되어요.

② 둘 중 한 사람은 눈을 가려요.

③ 눈을 가린 사람이 칠판에서 좀 떨어진 곳에서 출발해요. 손에는 펜을 들어요.

④ 눈을 가린 사람이 칠판에 도착할 수 있도록 알려 줘요. 칠판에 도착하면 얼굴을 그리기 시작해요.

⑤ 나머지 한 사람은 행동을 계속 알려 줘요.
　눈, 코, 입, 귀 등을 어떻게 그릴지 말해요.

⑥ 얼굴을 알아볼 수 있도록
　잘 그린 편이 이겨요.

2. 친구가 잘 그릴 수 있도록 어떻게 알려 주었어요? 내가 알려 준 말을
　써 봅시다.

----

1. 보기 에 있는 말을 아는 말과 모르는 말로 나눠 써 봅시다.

보기

활동   설명   자세히   살펴보다   발표
모습   준비물   확인   동그라미

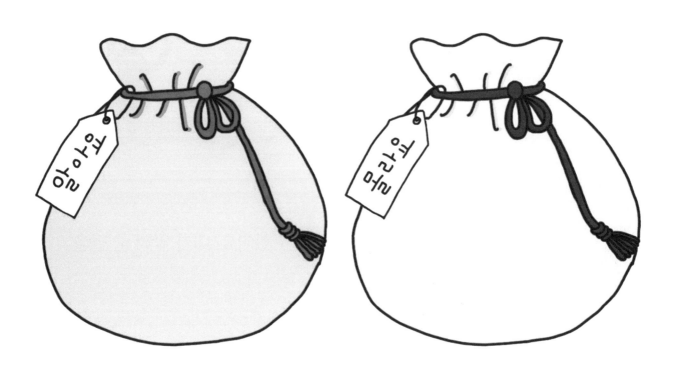

2. 모르는 말 중에서 하나를 골라요. 몇 쪽에 나와요? 말을 찾아서
   읽어 봅시다.

3. 돋보기 안의 새싹을 자세히 살펴봅시다.

1) 돋보기 안에 보이는 새싹의 모습이 어떠한지 말해 보세요.

2) 새싹의 모습이 어떠한지 써 보세요.

선택 1

의사소통 한국어 3권
2. 수영을 할 줄 알아요
5차시~8차시

필수

의사소통 한국어 3권
2. 수영을 할 줄 알아요
1차시~4차시

선택 2

학습 도구 한국어
2. 의미를 찾아요

단원 주제

1. 그림이 나타내는 의미를 찾아보기
2. 예상해서 답하기

- 자르갈은 취미를 나타내는 그림을 들고 있어요.
- 자르갈의 취미는 무엇일까요?

그림이 나타내는 의미를 찾아보기

1. 그림을 살펴보고 물음에 답해 봅시다.

> 그림은 무엇을 의미해요?
> 그림의 뜻은 무엇이에요?

1) 선생님의 질문을 소리 내어 읽어 보세요.

2) 선생님의 질문에 다음과 같이 답할 수 있어요. 소리 내어 읽으면서 따라 써 보세요.

① "자전거를 타면 안 돼요."

----

② "자전거 타는 것을 금지한다는 뜻이 있어요."

----

2. 그림의 뜻을 어떻게 찾을 수 있어요? 아래 설명을 차례대로 읽어 봅시다.

1) 이 모양은
   하면 안 된다는 뜻을 나타낸다.

2) 학교 주변에 있는 주민 센터에서
   이 그림을 보았다. "뛰면 안 돼요."라고
   쓰여 있었다.

뛰면 안 돼요.

3) 위의 두 그림을 본 경험을 생각해서
   여기서 자전거를 타면 안 된다는 뜻을
   찾을 수 있었다.

 어려운 말이 있어요? 확인해 봐요.

모양

이렇게 사용해요   바구니에는 동그라미 모양과 막대 모양의
사탕들이 있었다.

주변

이렇게 사용해요   학교 주변에는 문구점이 몇 개 있다.

경험

이렇게 사용해요   나는 동물원에 간 경험이 있다.
친구들에게 내가 경험한 일에 대해 말해 주었다.

1. 한글 카드가 이어지는 규칙을 예상해 봅시다.

1) 한글 카드가 이어지는 모습을 살펴보세요.

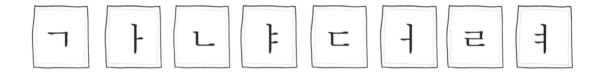

① 자음자 카드는 어떤 순서로 이어지고 있어요? 말해 보세요.

② 모음자 카드는 어떤 순서로 이어지고 있어요? 말해 보세요.

🖊 꼬마 수업 **한글 자음자와 모음자의 순서**

한글 자음자의 순서

ㄱ(기역) ㄴ(니은) ㄷ(디귿) ㄹ(리을) ㅁ(미음) ㅂ(비읍) ㅅ(시옷) ㅇ(이응)
ㅈ(지읒) ㅊ(치읓) ㅋ(키읔) ㅌ(티읕) ㅍ(피읖) ㅎ(히읗)

한글 모음자의 순서

ㅏ(아) ㅑ(야) ㅓ(어) ㅕ(여) ㅗ(오) ㅛ(요) ㅜ(우) ㅠ(유) ㅡ(으) ㅣ(이)

2) 위에서 한글 카드는 다음과 같이 이어지는 규칙이 있어요.
소리 내어 읽어 보세요.

한글 카드의 배열 규칙

- **자음자 한 번, 모음자 한 번, 순서대로 이어진다.**
- **자음자, 모음자의 순서는 '한글 자음자와 모음자의 순서'와 같다.**

3) 한글 카드의 배열 규칙을 다시 써 보세요.

 어려운 말이 있어요? 확인해 봐요.

규칙

이렇게 사용해요

운동 시합을 할 때는 경기의 규칙을 잘 지켜야 한다.
종이에 있는 무늬들이 이어지는 모습에서 규칙을
찾을 수 있다.

배열

이렇게 사용해요

무게에 따라 배열 순서를 정했다.
책꽂이의 책은 크기에 따라 잘 배열되어 있었다.

2. 몇 시인지 예상해 봅시다.

1) 시계를 보며 말하고 있어요. 내용을 살펴보세요.

짧은바늘은 1에 있어요.
긴바늘은 12에 있어요.
지금은 1시예요.

① 저밍이 영화를 보고 있어요. 영화가 몇 시에 끝나는지 예상해서 써 보세요.

지금은 1시예요. 영화가 시작해요.
저밍이 영화를 보는 데 걸리는 시간은 한 시간이에요.
영화는 몇 시에 끝날까요?
영화는 _____.

② 영화는 몇 시에 끝나요? 긴바늘과 짧은바늘로 그려 보세요.

영화 시작

영화 끝

어려운 말이 있어요? 확인해 봐요.

예상

이렇게 사용해요 │ 비가 올 것을 예상해서 우산을 가지고 왔다.
이번 시합은 결과를 예상하는 것이 어렵다.

2) 3교시는 몇 시에 시작해요? 시계를 보고 써 보세요.

2교시는 10시 30분에 끝나요.

쉬는 시간은 10분이에요.

3교시가 몇 시에 시작하는지 예상할 수 있어요.

3교시는 _____.

1. '무늬 꾸미기' 놀이를 해 봅시다.

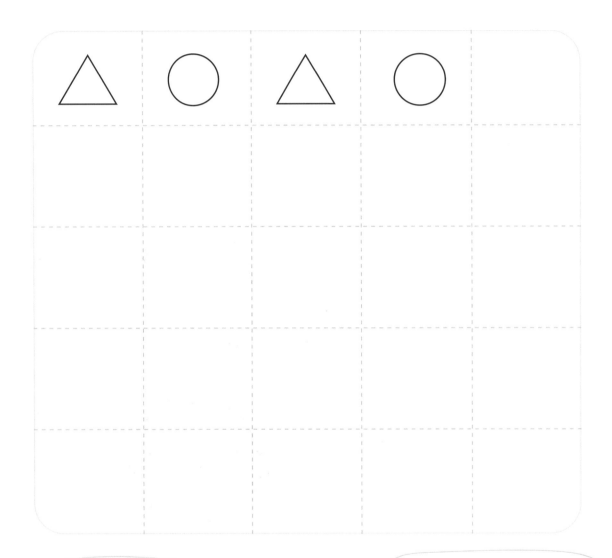

 무늬의 규칙을
찾아봐요.

 무늬의 규칙을 찾았어요.
다음 무늬를 예상해서 그려요.

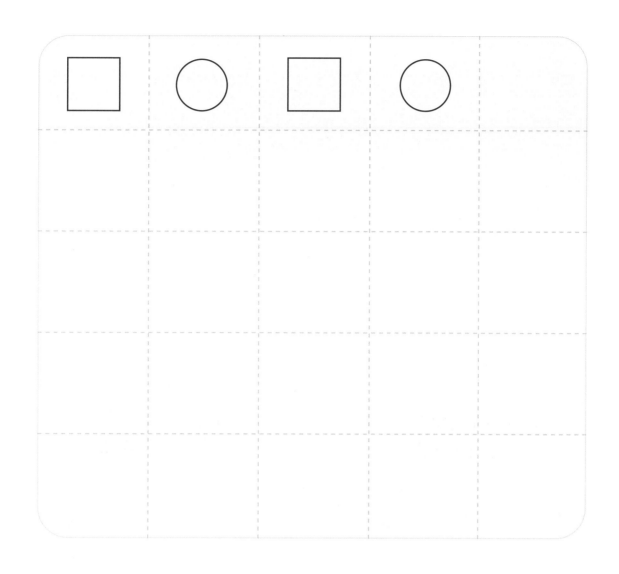

2. 무늬를 꾸미면서 친구와 무슨 말을 주고받았어요? 친구와 주고
받은 말을 써 봅시다.

1. 보기 에 있는 말을 아는 말과 모르는 말로 나눠 써 봅시다.

보기

모양　무엇　의미　뜻　주변　경험　예상　규칙　배열

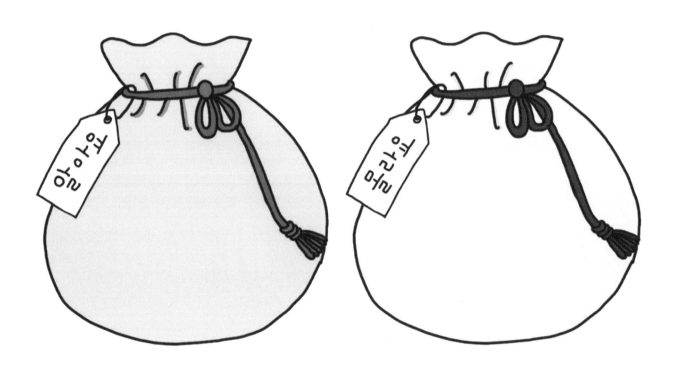

2. 모르는 말 중에서 하나를 골라요. 몇 쪽에 나와요? 말을 찾아서 읽어 봅시다.

3. 다음 그림이 나타내는 의미를 찾아 말해 봅시다.

학교에 있는 어떤 장소예요.
그림이 붙어 있어요.
그림은 어떤 장소를 의미할까요?

4. 다음 그림을 보고 규칙을 찾아봅시다.

1) 다음에 무엇이 이어질까요? 예상해서 말해 보세요.

2) 물건이 이어지는 규칙을 찾아 써 보세요.

선택 1

의사소통 한국어 3권
3. 친구하고 같이
체험 학습을 가요
5차시~8차시

필수

의사소통 한국어 3권
3. 친구하고 같이
체험 학습을 가요
1차시~4차시

선택 2

학습 도구 한국어
3. 궁금한 것을 물어봐요

단원 주제

1. 우리 반이 함께 할 일 계획하기
2. 가족 행사표 만들기

궁금한 것을 물어봐요

우리 반이 함께 할 일 계획하기

1. 친구들이 발표회 때 하고 싶은 일을 조사하여 우리 반 발표회 계획표를 만들었습니다. 읽고 물음에 답해 봅시다.

우리 반 발표회 계획표	
언제	20○○년 ○○월 ○○일
어디에서	우리 반 교실
누구와	우리 반 친구들
무엇을	동요 부르기 악기 연주하기

1) 우리 반 발표회는 어디에서 하는지 소리 내어 읽어 보세요.

2) 우리 반 발표회에서 무엇을 하기로 했는지 써 보세요.

_____

_____

어려운 말이 있어요? 확인해 봐요.

조사

이렇게 사용해요
　가을 과일에 대해 조사해요.
　궁금한 것이 생겼을 때는 조사를 해요.

계획

이렇게 사용해요
　겨울 방학에 할 일을 계획해요.
　방학 계획을 세워 놓고 지키지 못했어요.

2. 친구들의 대화를 읽고 계획표의 빈칸을 채워 봅시다.

 너희 모둠은 발표회에서 무엇을 하니?

 우리 모둠은 태권도를 하기로 했어.

발표회는 어디에서 해?

강당에서 해.

희망 모둠의 발표회 계획표

언제	20○○년　○○월　○○일
어디에서	
누구와	리암, 지민, 저밍, 하미
무엇을	

가족 행사표 만들기

1. 달력을 살펴보고 물음에 답해 봅시다.

3월

일요일	월요일	화요일	수요일	목요일	금요일	토요일
		1 3·1절	② 입학식	3	4	5
6	7	8	9	10	11	12
13	14	15	16	17	18	19
20	21	22	23	24	25	26
27	28	㉙ 내 생일	30	31		

1) 리암이 조사한 가족 행사에는 무엇이 있어요?

2) 입학식은 언제 해요?

 꼬마 수업   **가족 행사**

　가족 행사는 우리 가족이 함께 하는 특별한 일이에요. 예를 들어 내 생일이나 부모님의 생신, 입학식, 졸업식, 가족 여행 등이 있어요. 가족 행사는 부모님께 여쭤보고 조사할 수 있어요.

2. 리암이 만든 가족 행사표를 살펴보고 물음에 답해 봅시다.

리암의 가족 행사표

입학식

언제	3월 2일
어디에서	우리 반 교실
무엇을	새로운 선생님과 친구들을 만난다. 초등학생이 된 것을 축하한다.

내 생일

언제	3월 29일
어디에서	우리 집
무엇을	생일 케이크와 미역국을 먹는다. 생일을 축하하는 노래를 부른다.

1) 입학식은 어디에서 하는지 소리 내어 읽어 보세요.

2) 내 생일에는 무엇을 하는지 소리 내어 읽어 보세요.

3. 다음 글을 소리 내어 읽고 물음에 답해 봅시다.

리암이 부모님과 함께 5월의 가족 행사에 대해 알아보았습니다.
5월 5일은 어린이날입니다. 어린이날에는 부모님과 함께 동물원에
가기로 했습니다. 동물원에서 먹이 주기 체험을 할 계획입니다.

1) 리암이 알아본 가족 행사를 달력에 표시해 보세요.

5월

일요일	월요일	화요일	수요일	목요일	금요일	토요일
1	2	3	4	5	6	7
8	9	10	11	12	13	14
15	16	17	18	19	20	21
22	23	24	25	26	27	28
29	30	31				

2) 어린이날에 어디에 가기로 했는지 찾아 ○표 해 보세요.

3) 어린이날에 무엇을 하기로 했는지 찾아 밑줄을 그어 보세요.

어려운 말이 있어요? 확인해 봐요.

알아보았습니다 (알아보다)

이렇게 사용해요
내일의 날씨를 인터넷으로 알아보았다.
다른 나라에도 어린이날이 있는지 알아보았다.

체험

이렇게 사용해요
물고기 잡기를 직접 체험해 보았다.
농장 체험을 하면서 채소가 어떻게 자라는지 배웠다.

4. 우리 가족의 행사를 조사하여 가족 행사표에 써 봅시다.

( )의 가족 행사표	
언제	
어디에서	
무엇을	

1. '같이 가자' 놀이를 해 봅시다.

체험 학습은
어디로 가니?

과학관으로 가.

2. 놀이한 것을 떠올리며 체험 학습 계획표를 완성해 봅시다.

체험 학습 계획표

어디에서	
무엇을	

1. 아는 낱말에 ○표 해 봅시다.

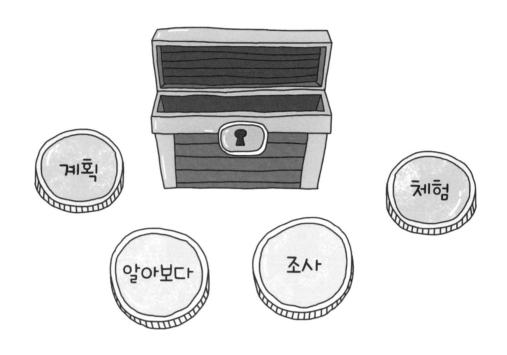

2. 위 낱말을 이용하여 문장을 완성해 봅시다.

1) 여름 방학에 할 일을 (   )했다.

2) 설날에 무엇을 하는지 (   )했다.

3) 동물원에서 코끼리 타기 (   )을/를 해 보았다.

4) 우리는 동물원에 어떤 동물이 있는지 (   ).

3. 친구들과 쉬는 시간에 함께 하고 싶은 일을 조사해 봅시다.

1) 내가 친구들과 함께 하고 싶은 일을 계획표에 써 보세요.

어디에서

무엇을

2) 짝이 계획표에 쓴 내용을 조사하여 빈칸을 채워 보세요.

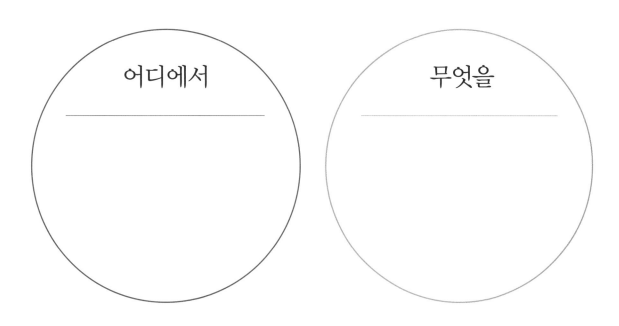

선택 1
의사소통 한국어 3권
4. 숙제를 다 하고
놀자고 했어요
5차시~8차시

필수
의사소통 한국어 3권
4. 숙제를 다 하고
놀자고 했어요
1차시~4차시

선택 2
학습 도구 한국어
4. 더 길어요 더 짧아요

단원 주제

1. 대상을 비교하여 말하기
2. 바르고 고운 말 사용하기

대상을 비교하여 말하기

1. 비교하는 말을 알아봅시다.

어느 연필이 더 길까요?
연필의 길이를 재어 봅시다.
파란색 연필이 노란색 연필보다 더 깁니다.
빨간색 연필이 파란색 연필보다 더 깁니다.
빨간색 연필이 가장 깁니다.

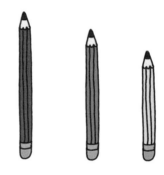

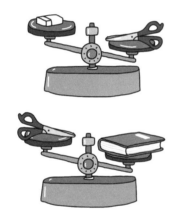

어느 것이 더 무거울까요?
무게를 재어 봅시다.
가위가 지우개보다 더 무겁습니다.
책이 가위보다 더 무겁습니다.
책이 가장 무겁습니다.

1) 그림을 보면서 선생님이 읽어 주시는 내용을 잘 들어 보세요.

2) 내용을 생각하며 소리 내어 읽어 보세요.

비교할 때의 말

　무엇이 같고 다른지 살펴보는 것을 비교라고 해요. 길이나 무게 등을 비교할 수 있어요. 길이를 비교할 때에는 '빨간색 연필이 파란색 연필보다 더 길어요', '빨간색 연필이 가장 길어요'와 같이 말해요.

어려운 말이 있어요? 확인해 봐요.

가장

이렇게 사용해요

내가 가장 좋아하는 과일은 사과이다.
하미는 우리 반에서 달리기를 가장 잘한다.

2. 보기 와 같이 비교하여 써 봅시다.

보기

파란색 연필이 노란색 연필보다 더 깁니다.
빨간색 연필이 파란색 연필보다 더 깁니다.
빨간색 연필이 가장 깁니다.

바르고 고운 말 사용하기

1. 하미와 리암의 말을 비교하여 봅시다.

사탕 내놔!

나도 사탕 먹고 싶어. 사탕을 나눠 줄래?

1) 하미의 말을 읽어 보세요. 기분이 어때요?

2) 리암의 말을 읽어 보세요. 기분이 어때요?

3) 하미와 리암의 말을 들었을 때 기분을 비교해 보세요. 내가 듣고 싶은 말에 ○표 해 보세요.

 꼬마 수업 **바르고 고운 말**

'고마워', '사랑해', '최고야'와 같은 말을 바르고 고운 말이라고 해요. 바르고 고운 말을 들으면 기분이 좋아요.

2. 내용을 생각하며 소리 내어 읽어 봅시다.

선생님께서는 바르고 고운 말을 사용하라고 하십니다. 어느 날, 리암은 선생님의 말씀과 반대로 하고 싶어졌습니다. 쉬는 시간입니다. 친구들이 공기놀이를 합니다. 리암이 말합니다.

"내가 먼저 할 거야. 저리 비켜!"

친구들의 표정이 화가 나 보입니다. 저밍이 다가오며 말합니다.

"나도 공기놀이를 하고 싶어. 같이 해도 돼?"

친구들의 표정이 아까와는 다릅니다. 공기놀이를 하고 싶은 리암과 저밍의 마음은 같습니다. 무엇이 친구들의 표정이 달라지게 했을까요?

1) 리암과 저밍의 말을 들은 친구들의 기분은 어떨까요? 말과 표정을 연결해 보세요.

2) 리암과 저밍의 말을 들었을 때 기분을 비교해 보세요. 바르고 고운 말에 ○표 해 보세요.

어려운 말이 있어요? 확인해 봐요.

다릅니다(다르다)

이렇게 사용해요   나와 짝은 좋아하는 과목이 달라요.
성우와 나는 다른 색깔의 풍선을 가지고 있어요.

같습니다(같다)

이렇게 사용해요   나와 짝은 좋아하는 음식이 같아요.
친구와 나는 같은 색깔의 모자를 가지고 있어요.

3. 바르고 고운 말을 찾아 글자 위에 따라 써 봅시다.

4. 어떻게 말하면 좋을까요? 보기 에서 찾아 써 봅시다.

보기

고마워   싫어   괜찮아   저리 비켜

1. '비교하기' 놀이를 해 봅시다.

2. 비교하는 말을 연습해 봅시다.

짝꿍의 (   )이/가 내 (   )보다 더 (   ).

(   )이/가 가장 (   ).

3. 쌓기 나무 놀이를 해 봅시다.

우리 모둠의
탑이 가장 높아.

우리 모둠의 탑이
옆 모둠의 탑보다
더 높아.

4. 비교하는 말을 연습해 봅시다.

(　　　　　　) 모둠의 탑이 가장 높다.

(　　　　　) 모둠의 탑이 우리 모둠의 탑보다 더 (　　　　　).

1. 빈칸에 들어갈 낱말을 보기 에서 찾아 써 봅시다.

보기

가장 같다 다르다

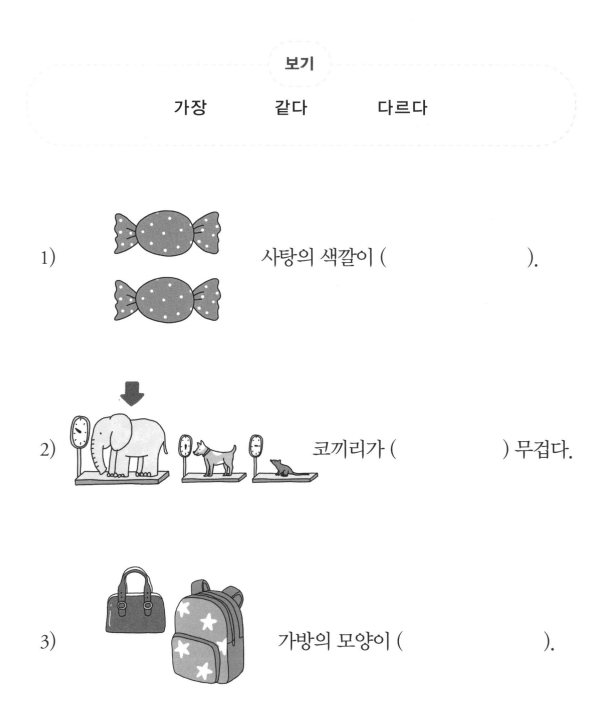

1) 사탕의 색깔이 (   ).

2) 코끼리가 (   ) 무겁다.

3) 가방의 모양이 (   ).

2. 보기 에서 낱말을 골라 그림에 알맞은 문장을 완성해 봅시다.

보기

더   가장

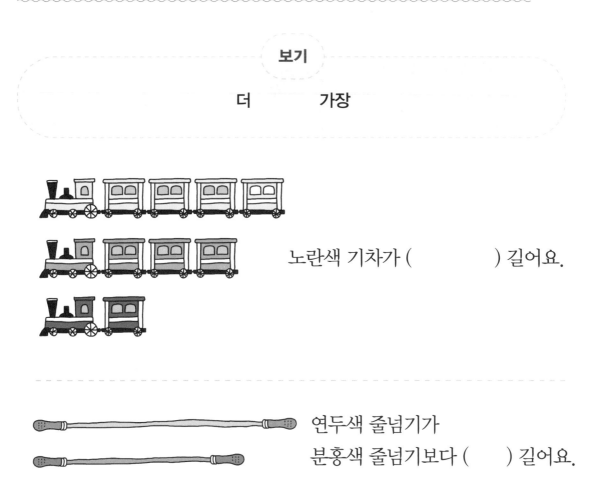

노란색 기차가 (   ) 길어요.

연두색 줄넘기가
분홍색 줄넘기보다 (   ) 길어요.

3. 어떻게 말하면 좋을까요? 대화를 완성해 봅시다.

내가 잡아 줄게.
일어나.

선택 1

의사소통 한국어 3권
5. 쓰레기를 버리면
안 돼요
5차시~8차시

필수

의사소통 한국어 3권
5. 쓰레기를 버리면
안 돼요
1차시~4차시

선택 2

학습 도구 한국어
5. 답을 구해요

단원 주제

1. 수학 문제 해결하기
2. 문제점을 찾아 해결하기

답을 구해요

성우야, 수학 시간이잖아.
장난치지 말고
얼른 답을 구해야지.

수학 문제 해결하기

1. 리암이 수학 문제를 풀고 있습니다. 문제를 소리 내어 읽고 물음에
   답해 봅시다.

   오늘은 토끼의 생일입니다. 생쥐가 토끼에게 사과 7개를 선물했습니다.
   사슴이 복숭아 6개를 선물하고, 다람쥐가 배 3개를 선물했습니다. 토끼가
   받은 과일은 모두 몇 개입니까?

구하려는 식은 무엇일까요?

어떻게 계산했어요?

'7+6+3'이에요.

먼저 7하고 3을 더해서
10을 만들었어요.
그리고 10에 6을 더했더니 16이
나왔어요.

1) 구하려고 하는 식은 무엇이에요?

2) 리암이 문제를 어떻게 해결했어요? 찾아 써 보세요.

어려운 말이 있어요? 확인해 봐요.

풀고(풀다)

이렇게 사용해요   다음 문제를 풀어 보세요.
나는 수학 시험지를 다 풀지 못했어.

구하려는(구하다)

이렇게 사용해요   난 이렇게 답을 구했어.
구하려고 하는 것은 무엇인가요?

해결

이렇게 사용해요   자기의 문제는 스스로 해결해야 해요.
문제를 해결할 방법을 찾아봅시다.

2. 수학 문제를 풀 때 쓰는 표현을 소리 내어 읽어 봅시다.

문제 확인하기	구하려고 하는 것은 무엇인가요?
문제 해결 방법 찾기	답을 구하는 식을 써 보세요.
문제 해결하기	답을 구해 보세요.
확인하기	무엇을 알게 되었는지 말해 보세요.

문제점을 찾아 해결하기

1. 다음 만화를 읽고 무엇을 해결해야 하는지 생각해 봅시다.

1) 하미가 '지구가 아파요' 만화를 읽고 있어요. 선생님과 함께 소리 내어 읽어 보세요.

2) 지구가 아픈 이유는 무엇이에요? 그림을 보고 말해 보세요.

 어려운 말이 있어요? 확인해 봐요.

문제점

이렇게 사용해요   이 그림의 문제점은 무엇일까?
문제점을 해결할 방법을 생각해 보자.

찾아(찾다)

이렇게 사용해요   문제의 해답을 찾았어.
에너지를 절약할 수 있는 방법을 찾아 발표해 보세요.

2. 에너지를 절약하는 방법을 생각해 봅시다.

1) 하미가 에너지를 절약하는 방법을 생각하고 있어요. 생각 그물을 완성해 보세요.

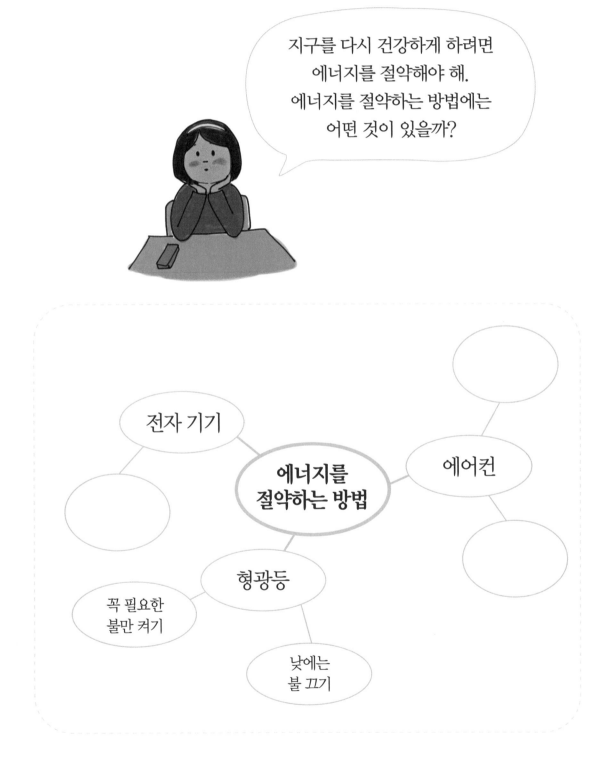

지구를 다시 건강하게 하려면 에너지를 절약해야 해. 에너지를 절약하는 방법에는 어떤 것이 있을까?

전자 기기

에어컨

에너지를 절약하는 방법

형광등

꼭 필요한 불만 켜기

낮에는 불 끄기

생각 그물

생각 그물은 주제에 관련된 여러 가지 생각을 떠올리는 방법이에요. 문제의
해결 방법을 찾거나 상상을 할 때 쓸 수 있어요.

2) 문제 해결 방법을 정리해 봅시다. 생각 그물 내용을 보고 보기 와
   같이 말풍선을 채워 봅시다.

보기

에너지를 절약하려면
밑은 낮에는 불을 꺼야 해.

에너지를 절약하려면

_____.

OFF

함께 해 봐요

1. '문제 해결 방법 찾기' 말판 놀이를 해 봅시다.

2. 말판 놀이를 하며 만든 문장을 써 봅시다.

되돌아보기

1. 다음 낱말로 빙고 놀이를 해 봅시다

문제점　　　구하다　　　계산

풀다　　　생각 그물　　　찾다

이유　　해결하다　　방법

2. 낱말을 하나 골라 짧은 문장을 만들어 봅시다.

3. 다음 글을 읽고 물음에 답해 봅시다.

> 요즘은 미세먼지가 심해서 놀이터에서 놀기가 어렵지요?
> 미세먼지 문제를 해결하려면 자전거를 타거나
> 대중교통을 이용해서 자동차 매연을 줄여야 해요.
> 가까운 거리는 걸어 다니면 좋겠지요?
> 그리고 길에 나무를 많이 심어서
> 공기를 깨끗하게 만들어야 해요.

1) 문제점이 무엇이에요?

2) 문제를 해결하기 위한 방법을 생각 그물에 써 보세요.

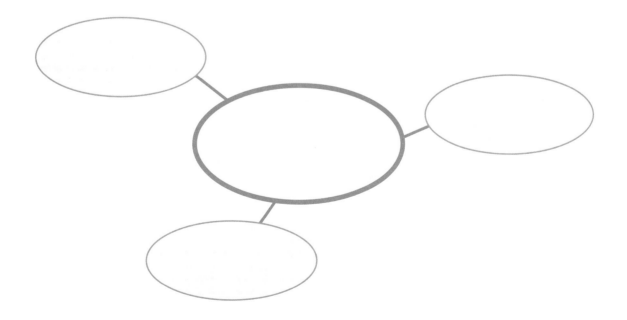

선택 1

의사소통 한국어 3권
6. 교실에서 휴대 전화를
꺼 주세요
5차시~8차시

필수

의사소통 한국어 3권
6. 교실에서 휴대 전화를
꺼 주세요
1차시~4차시

선택 2

학습 도구 한국어
6. 수행 평가는 이렇게

단원 주제

1. 친구의 발표를 듣고 칭찬하기
2. 수행 평가 과정 익히기

6

수행 평가는
이렇게

선생님께서 다음 주에
국어 수행 평가를 한다고
하셨어요.

다음 주 수행 평가:
자신의 꿈 발표하기

그렇구나.
몇 단원 평가니?

친구의 발표를 듣고 칭찬하기

1. 친구의 발표를 듣고 칭찬하는 방법을 알아봅시다.

1) 선생님은 리암의 발표를 들으며 무엇을 하고 계세요?

2) 리암의 발표에서 칭찬할 점은 무엇이에요?

 수행 평가

　학교에서 우리가 배운 내용을 잘할 수 있는지 확인하는 것을 수행 평가라고 해요. 평가는 선생님뿐만 아니라 친구들이 할 수도 있어요. 친구의 발표를 들을 때에는 무엇을 잘했는지 생각하며 들어요.

2. 저밍의 발표를 듣고 칭찬해 봅시다. 1

1) 저밍의 발표를 듣고 아래 표에 ○표 해 보세요.

		매우 잘함	잘함	보통
①	목소리의 크기가 적당했어요?			
②	목소리의 빠르기가 적당했어요?			
③	또박또박 말했어요?			

2) 저밍에게 칭찬하는 말을 해 보세요.

어려운 말이 있어요? 확인해 봐요.

적당해서(적당하다)

이렇게 사용해요 　목소리의 크기가 적당한지 생각해 봅시다.
수영장의 물이 깊지 않아 아이들이 놀기에 적당하다.

수행 평가 과정 익히기

1. 수행 평가를 안내하는 말입니다. 소리 내어 읽어 봅시다.

9/7(목) 수학 5단원 수행 평가

다음 주에는 수학 수행 평가가 있어요. 5단원에서 시계를 보고 시각을 읽는 방법을 배웠지요? 다음 주 목요일에 수행 평가를 하겠습니다.

1) 수학 수행 평가는 언제 해요?

2) 수행 평가 내용은 무엇이에요?

 어려운 말이 있어요? 확인해 봐요.

과정

이렇게 사용해요 우리가 우유를 먹기까지 여러 과정을 거쳐요.
엄마는 결과보다는 과정이 더 중요하다고 하셨어.

방법

이렇게 사용해요 무슨 좋은 방법이 없을까?
발표하는 방법을 알아봐요.

2. 수행 평가 전에 무엇을 준비해야 할까요? 확인해 봅시다.

1) 화면을 보고 알림장을
   따라 써 보세요.

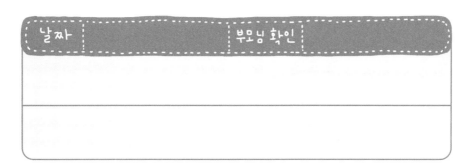

날짜		부모님 확인	

2) 아래 그림을 보고 수행 평가를 준비한 경험을 이야기해 보세요.

3. 수행 평가 시간입니다. 내용을 살펴봅시다.

어렵네.
이 문제는 조금 있다가
다시 풀어 봐야지.

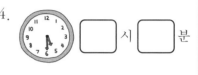
[3~4] 시각을 써 보세요.

3. ☐ 시   4. ☐ 시 ☐ 분

5. 다음 중 시각을 잘 읽은 친구를 고르세요.

① 철수: 8시
② 미나: 5시 30분
③ 준우: 9시 30분
④ 선희: 8시 30분

 어려운 말이 있어요? 확인해 봐요.

고르세요(고르다)

> 이렇게 사용해요

다음 중 알맞은 것을 고르세요.
좋아하는 색깔을 골라서 색칠을 하세요.

다시

> 이렇게 사용해요

힘들어도 다시 한 번 해 보자.
다시 생각해 보니 네 말이 맞는 것 같아.

4. 수행 평가가 끝날 때는 어떻게 할까요? 다음을 읽고 물음에 답해
  봅시다.

1) 선생님의 설명을 소리 내어 따라 읽어 보세요. 밑줄 그은 말은 무슨
  뜻이에요?

2) 시험지를 내기 전에 살펴볼 것은 무엇이에요?

3) 누가 시험지를 모아서 가져와요?

1. 시험지의 내용을 채워 봅시다.

2. 짝과 시험지를 바꿔 그 내용을 확인해 봅시다.

		매우 잘함	잘함	보통
①	번호와 이름을 썼어요?			
②	문제를 빠짐없이 모두 풀었어요?			

3. 시험지를 순서대로 모아 가져와 봅시다.

1. 아래 글자판에서 보기 의 낱말을 찾아 색칠해 봅시다.

보기

과정　다시　방법　평가　칭찬　적당하다　고르다

사	과	자	르	다	로	부	고
순	피	정	시	어	감	히	르
정	차	물	조	힘	칭	장	다
다	시	래	요	구	찬	어	칠
시	물	구	간	금	바	들	이
임	정	해	적	당	하	다	용
확	방	평	재	답	평	포	골
음	법	요	기	자	차	가	라

2. 위의 낱말을 76~81쪽에서 찾아 ○표 해 봅시다.

3. 그림에 알맞은 설명을 찾아 연결해 봅시다.

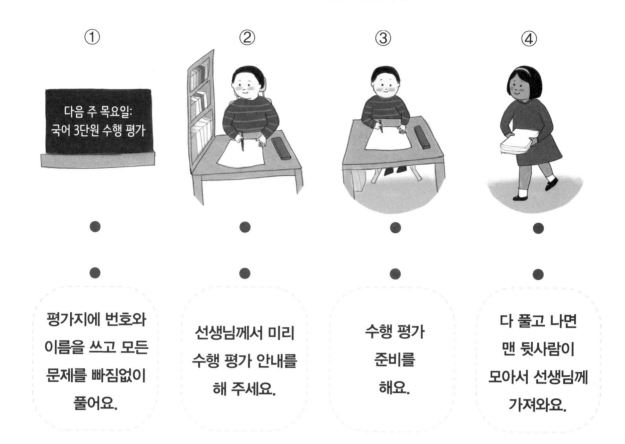

① ② ③ ④

평가지에 번호와 이름을 쓰고 모든 문제를 빠짐없이 풀어요.

선생님께서 미리 수행 평가 안내를 해 주세요.

수행 평가 준비를 해요.

다 풀고 나면 맨 뒷사람이 모아서 선생님께 가져와요.

4. 친구의 발표를 듣고 칭찬해 봅시다. 🎧 2

선택 1

의사소통 한국어 3권
7. 경찰이 되었으면
좋겠어요
5차시~8차시

필수

의사소통 한국어 3권
7. 경찰이 되었으면
좋겠어요
1차시~4차시

선택 2

학습 도구 한국어
7. 책 속으로 풍덩

단원 주제

1. 주인공이 되어 말하기
2. 독서 기록장 쓰기

주인공이 되어 말하기

1. 주인공의 마음을 생각하며 다음 이야기를 소리 내어 읽어 봅시다.

여우가 황새를 집에 초대했어요.
"황새야, 많이 먹어."

여우는 황새에게 납작한 접시에 국을 주었어요.
황새는 부리가 뾰족해서 국을 먹을 수가
없었어요.

"황새야, 넌 국을 별로 안 좋아하는구나."
여우는 황새의 국까지 다 먹어 버렸어요.

1) 황새는 왜 국을 먹을 수 없었을까요?

2) 황새의 기분은 어땠을까요?

2. 황새가 되어 아이다의 질문에 대답해 봅시다.

여우에게 초대받았을 때
기분이 어땠어요?

친구의 집에 가게 돼서
좋았어요.

여우가 국을 다 먹어 버렸을 때
기분이 어땠어요?

처음에는 배가 너무 고팠어요.
그리고 _____
_____.

3. 아이다와 황새의 대화를 실감 나게 읽어 봅시다.

 어려운 말이 있어요? 확인해 봐요.

기분

이렇게 사용해요
선생님께 칭찬을 받아 기분이 좋았어.
친구의 말을 듣고 섭섭한 기분이 들었어요.

실감 나게(실감 나다)

이렇게 사용해요
실감 나게 역할 놀이를 해 봅시다.
하미가 정말 실감 나게 사과를 그렸어.

1. 선생님과 함께 책을 읽어 봅시다.

2. 책을 읽으며 할 수 있는 활동을 살펴봅시다.

1) 등장인물에는 누가 있었는지 그림으로 그리거나 낱말로 써 보세요.

2) 등장인물들이 호랑이를 어떻게 물리칠까요? 이어질 내용을 상상하며 책을 읽어 보세요.

 어려운 말이 있어요? 확인해 봐요.

등장

이렇게 사용해요
이 책의 등장인물을 소개하겠습니다.
주인공이 등장하는 장면이 재미있었어.

상상

이렇게 사용해요
우리가 상상하는 것들이 모두 이루어지면 좋겠다.
오늘은 과학 상상화 그리기를 하겠습니다.

3. 독서 기록장을 써 봅시다.

1) 책의 표지를 완성해 보세요.

팥죽 할머니와
호랑이

🖊 꼬마 수업   독서 기록장

독서 기록장은 책을 읽고 나서 읽은 내용을 다양한 방법으로 정리하는 공책이에요. 독서 기록장을 쓰면 내가 읽은 책을 오래 기억할 수 있어요. 독서 기록장에는 읽은 책의 제목, 지은이, 읽은 날짜, 나의 생각이나 느낌 등을 쓰고 다음과 같은 활동을 해요.

줄거리 쓰기, 주인공에게 편지 쓰기, 주인공이 되어 말하기, 삼행시 짓기, 이어질 내용 상상하기, 등장인물 바꾸어 쓰기, 책 표지 꾸미기 등

2) 요우타와 지민이 〈팥죽 할머니와 호랑이〉 속 등장인물을 다른 인물로 바꾸어 쓰려고 해요. 대화를 읽고 〈팥죽 할머니와 호랑이〉 속 등장 인물을 어떻게 바꾸면 좋을지 생각해 보세요.

송곳 대신에 연필로 바꿔 보는 것은 어떨까?

바나나 껍질을 등장시키면 어떨까?

1. 〈팥죽 할머니와 호랑이〉 속 등장인물을 바꾸어 써 봅시다.

2. 내가 바꾼 등장인물과 내용을 써 봅시다.

누가?	어디에?	호랑이를 어떻게 물리칠까?

1. 길을 따라가며 어울리는 낱말끼리 연결해 봅시다.

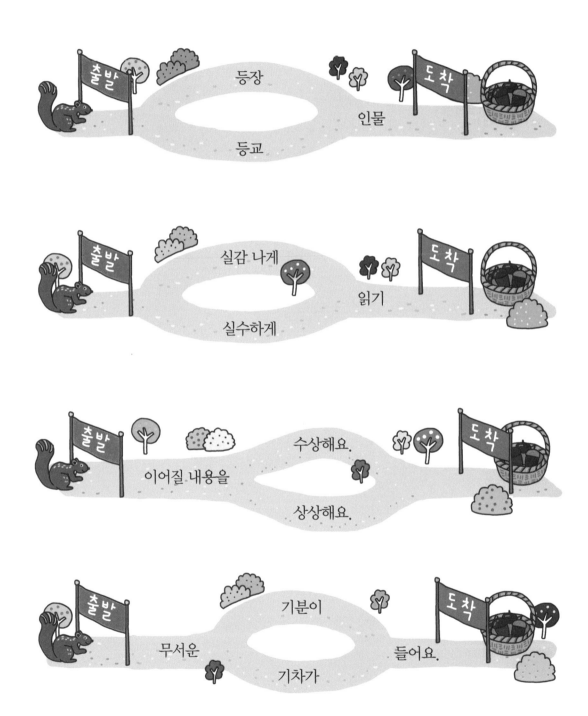

2. 재미있게 읽은 책이 있어요? 아래 내용을 써 봅시다.

제목	
지은이	
느낀 점	

3. 그림을 보고 88쪽의 그림책에 이어질 내용을 상상해서 써 봅시다.

다음 날, 이번에는 황새가
여우를 집에 초대했어요.

선택 1
의사소통 한국어 3권
8. 방학에 할머니 댁에
갈 것 같아요
5차시~8차시

필수
의사소통 한국어 3권
8. 방학에 할머니 댁에
갈 것 같아요
1차시~4차시

선택 2
학습 도구 한국어
8. 나누어 보고 묶어 보고

단원 주제

1. 같은 모양끼리 묶기
2. 동물을 여러 가지 방법으로 분류하기

나누어 보고 묶어 보고

나는 모양에 따라 분류해야지.

나는 색깔에 따라 분류할 거야. 빨간색은 빨간색끼리 모아야지.

같은 모양끼리 묶기

1. 아래 사물을 같은 모양끼리 묶어 봅시다. 붙임 딱지

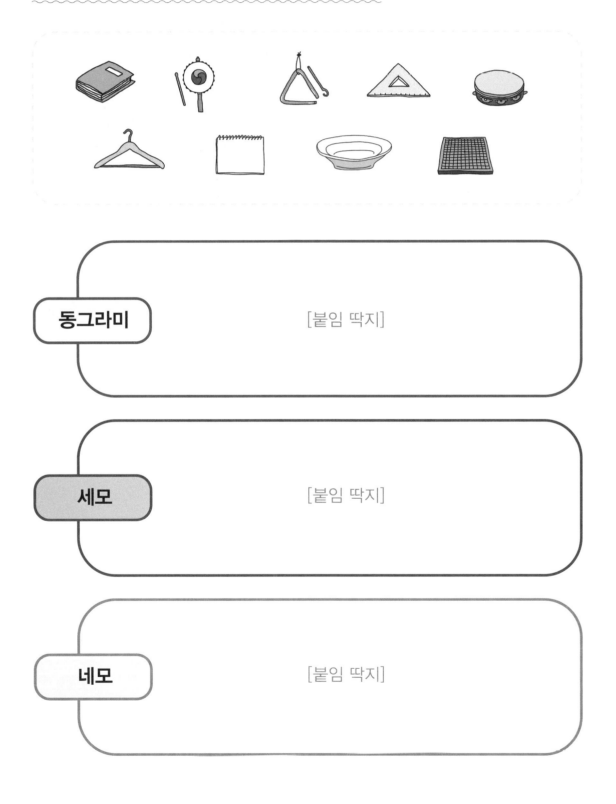

동그라미   [붙임 딱지]

세모   [붙임 딱지]

네모   [붙임 딱지]

2. 그림을 보고 다음 질문에 답해 봅시다.

1) 무엇에 따라 물건을 나누었어요?

2) 색 구슬과 같이 묶인 물건은 무엇이에요?

3) 상자와 함께 묶을 수 있는 물건을 더 찾아보세요.

 어려운 말이 있어요? 확인해 봐요.

묶어(묶다)

이렇게 사용해요
하늘에 사는 동물끼리 묶어 보세요.
축구공은 구슬과 같이 묶을 수 있어요.

나누었어요(나누다)

이렇게 사용해요
동물들을 사는 곳에 따라 나누었다.
물건을 동그라미 모양과 세모 모양으로
나누어 볼까요?

동물을 여러 가지 방법으로 분류하기

1. 요우타와 하미가 분류 활동을 하고 있어요. 새들을 어떻게 분류를 했는지 살펴봅시다.

여름에 볼 수 있는 새와 겨울에 볼 수 있는 새로 분류해 볼까? 청둥오리는 겨울에 볼 수 있는 새야.

겨울새는 겨울새끼리 모으자. 고니도 청둥오리와 같이 묶을 수 있어.

1) 요우타와 하미는 새들을 어떻게 분류하고 있어요?

2) 청둥오리와 같이 묶을 수 있는 새는 무엇이에요?

3) 요우타와 하미가 분류한 내용을 소리 내어 읽고 그대로 따라 써
보세요.

요우타 ....
....

하미 ....
....

 어려운 말이 있어요? 확인해 봐요.

분류

이렇게 사용해요   물건을 색깔에 따라 분류해요.
과일을 여름 과일과 겨울 과일로 분류하고
발표해 봅시다.

2. 분류한 내용을 보고 질문에 답해 봅시다.

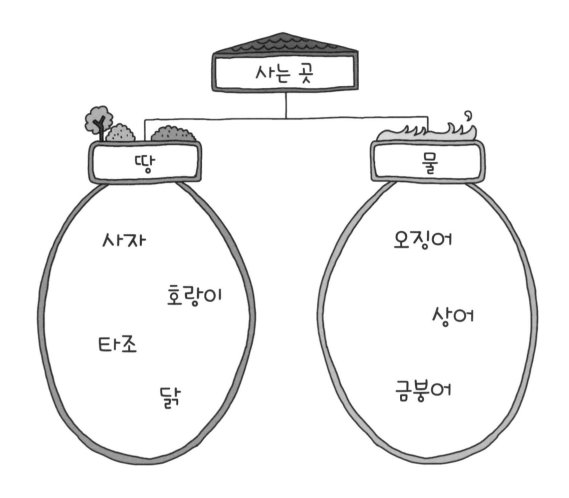

1) 무엇에 따라 분류했어요?

2) 오징어는 어디에 사는 동물이에요?

3) 사자는 어떤 동물과 함께 묶여 있어요?

3. 동물을 여러 가지 방법으로 분류해 봅시다.

1) 다음 그림을 보고 어떤 동물들이 있는지 살펴보세요.

닭

독수리

사자

호랑이

코끼리

사슴

2) **보기** 에서 분류 방법을 골라 ○표를 하고 동물을 분류해 보세요.

보기

다리의 개수   먹이   날개가 있는가

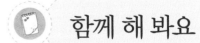

함께 해 봐요

1. '모양 찾기' 카드 놀이를 해 봅시다 부록

> 별 모양은
> 별 모양끼리 모아요.

> 동그라미 모양은
> 세모 모양과 같이 묶을 수 없어요.

2. '모양 찾기' 카드 놀이를 하며 내가 말한 문장을 써 봅시다.

1. 그림에 어울리는 낱말을 연결하고, 따라 써 봅시다.

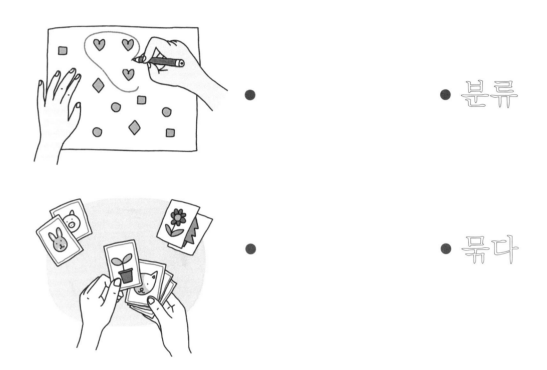

●   ● 분류

●   ● 묶다

2. ◇ 모양의 칸을 색칠해 봅시다. 어떤 낱말이 나타나는지 따라 읽어 봅시다.

□	○	△	□	□	△	△	△	□	○	□	△	○	○	□	○	□	△	△	○	□
□	□	△	□	○	◇	○	□	△	◇	△	□	□	△	△	□	○	□	□	◇	△
△	◇	○	□	○	◇	□	○	□	○	△	□	○	□	◇	◇	◇	○	◇	□	
○	◇	○	△	□	◇	△	△	○	□	◇	◇	○	△	△	○	△	○	△		
△	◇	□	□	□	◇	○	□	△	○	△	□	△	○	△	○	◇	○			
△	◇	△	○	○	◇	◇	△	○	□	◇	◇	△	○	○	△	○	△	◇	◇	
○	◇	◇	◇	△	□	○	△	□	○	◇	□	△	△	◇	◇	△	○	◇	△	
△	◇	□	○	△	△	○	□	△	◇	□	○	△	□	○	△	○	◇	□		
△	□	○	□	□	◇	○	△	□	□	◇	○	□	△	□	○	△	◇	○		
□	△	□	○	○	□	△	□	□	△	□	○	△	□	○	□	△	○	□	⊓	□

3. 다음 과일들을 색깔에 따라 분류해 봅시다.

딸기 　 바나나 　 파인애플 　 토마토 　 사과

빨간색

노란색

4. 다음 분류한 내용을 보고 친구와 이야기해 봅시다.

동물을 (　　　　)에
따라 분류했어.

토끼는 (　　　　)와 같이
묶을 수 있어.

선택 1

의사소통 한국어 4권
1. 우산을 가지고
다니도록 해요
5차시~8차시

필수

의사소통 한국어 4권
1. 우산을 가지고
다니도록 해요
1차시~4차시

선택 2

학습 도구 한국어
9. 하나하나 설명해요

단원 주제

1. 순서대로 관찰하고 말하기
2. 자연을 관찰하고 쓰기

하나하나 설명해요

가을 하늘이
높고 푸르네요.

그래, 가을이라 그런지
하늘이 아주 맑구나.

1. 페트병으로 곡식 악기를 만들고 있습니다. 그림을 순서대로 자세히 살펴봅시다.

❶

[붙임 딱지]

❷

[붙임 딱지]

❸

[붙임 딱지]

❹

여러 가지 재료로 페트병 꾸미기

2. 1번의 빈칸에 그림 ①~③과 어울리는 붙임 딱지를 붙여 봅시다.

붙임 딱지

3. 친구에게 페트병 곡식 악기 만드는 방법을 순서대로 말해 봅시다.

 어려운 말이 있어요? 확인해 봐요.

순서

이렇게 사용해요   발표하는 순서는 번호 순서와 같아요.
손 씻는 순서를 지켜 손을 씻었습니다.

꾸미기(꾸미다)

이렇게 사용해요   색종이로 인형을 예쁘게 꾸며 보세요.
색연필과 사인펜으로 상자 꾸미기를 해 보세요.

 관찰

　관찰은 물건이나 어떤 일을 자세히 살펴보는 거예요. 어항의 물고기를 관찰할 수도 있고, 하늘의 구름을 관찰할 수도 있어요. 그리고 친구가 공부하는 모습을 관찰할 수도 있어요. 관찰을 잘하려면 관찰하는 대상을 자세히 살펴봐야 해요.

자연을 관찰하고 쓰기

1. 눈의 모양을 관찰하는 모습을 살펴봅시다.

1) 아이들이 보고 있는 것이 무엇인지 말해 보세요.

2) 밑줄 그은 부분을 소리 내어 읽어 보세요.

2. 빈센트가 관찰한 눈 모양을 그림으로 그리고 설명해 봅시다.

어려운 말이 있어요? 확인해 봐요.

설명

이렇게 사용해요   공부한 것을 자세히 설명해요.
친구에게 공기놀이 방법을 설명해 주었어요.

3. 올챙이가 개구리로 되는 과정입니다. 자세히 관찰해 봅시다.

1

올챙이입니다. 머리가 있고 꼬리가 깁니다.

2

뒷다리가 나왔습니다. 꼬리 부분이 조금 짧아졌습니다.

3

앞다리도 나왔습니다. 꼬리 부분이 더 짧아졌습니다.

4

개구리가 되었습니다. 뒷다리가 튼튼해지고 앞다리도 길어졌습니다. 눈이 크고 튀어 나와 있습니다.

4. 왼쪽 그림에서 올챙이가 개구리로 되는 과정을 관찰하고 글로 써
봅시다.

먼저 ①번 그림을 보면 올챙이가 있습니다. 올챙이는 머리가
있고 꼬리가 깁니다. 다음으로 ②번 그림을 보면

5. '올챙이와 개구리' 노래를 듣고 따라 불러 봅시다.

개울가에 올챙이 한 마리 꼬물꼬물 헤엄치다
뒷다리가 쑥 앞다리가 쑥 팔딱팔딱 개구리 됐네.

꼬물꼬물 꼬물꼬물 꼬물꼬물 올챙이가
뒷다리가 쑥 앞다리가 쑥 팔딱팔딱 개구리 됐네.

– 윤현진 작사/작곡

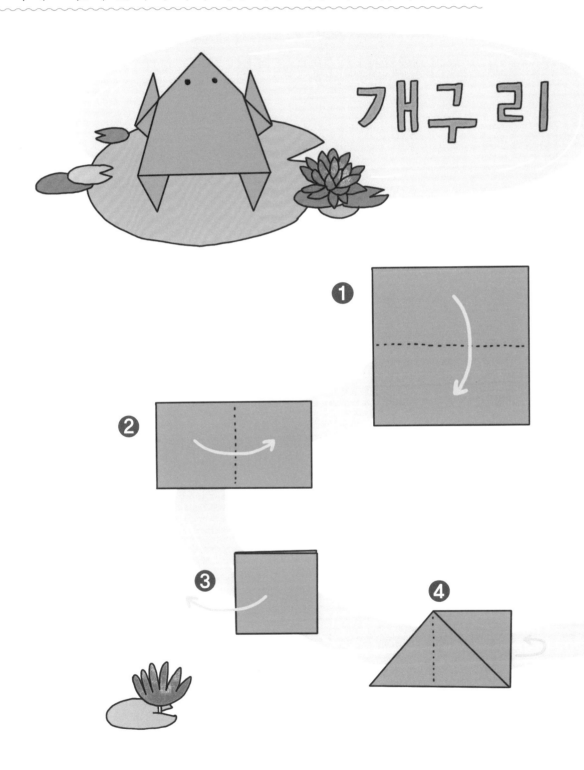

함께 해 봐요

1. 아래 그림의 순서에 따라 색종이로 개구리를 접어 봅시다.

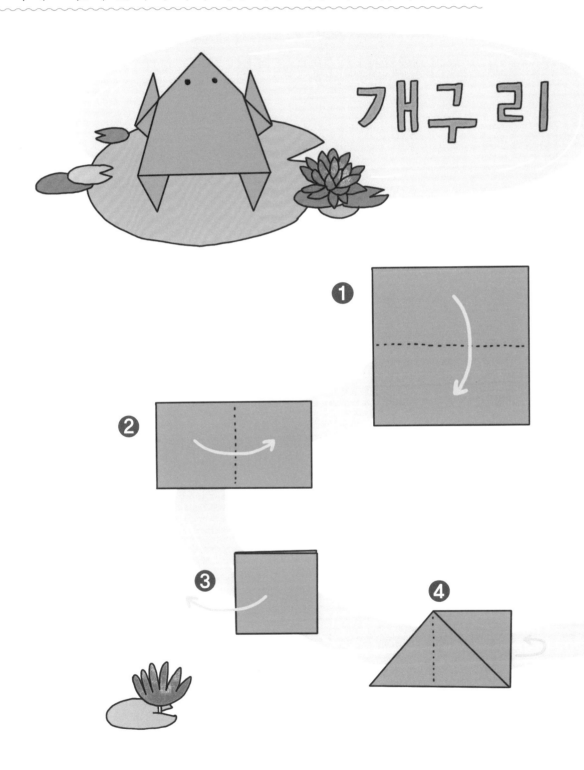

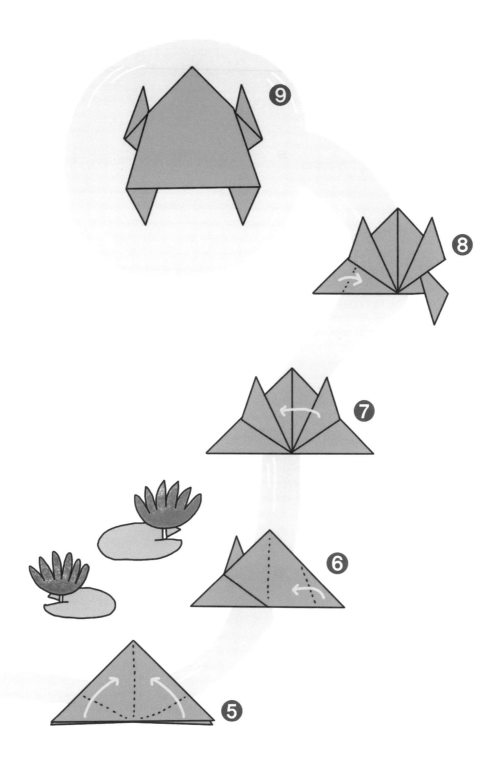

2. 개구리를 접는 과정을 친구에게 말해 봅시다.

1. (   ) 안에 들어갈 알맞은 낱말을 찾아 연결해 봅시다.

선생님께서 수학 문제를
자세히 (   )해 주셨어요.　　●　　●　곡식

쌀, 팥, 콩 같은 것을 페트병에
넣어 (   ) 악기를 만들었어요.　　●　　●　관찰했어요

동화책의 번호를 보고
(   )에 맞게 정리했다.　　●　　●　설명

미술 시간에 카드에 색종이를
붙여 (   )를 했어요.　　●　　●　순서

화분에서 기어 다니는 개미를
자세히 (   ).　　●　　●　꾸미기

2. 다음 그림은 과일 화채를 만드는 순서입니다. 보기 에서 그림에 알맞은 설명을 찾아 빈칸에 써 넣어 봅시다.

보기

• 과일이 담긴 그릇에 음료수 붓기
• 여러 가지 과일을 먹기 좋게 자르기
• 자른 과일을 큰 그릇에 담기

❶

❷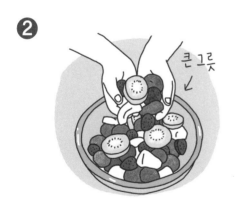

❸

단원 주제

1. 일의 차례 생각하기
2. 숨은 내용 찾아보기

다음에는
무슨 일이

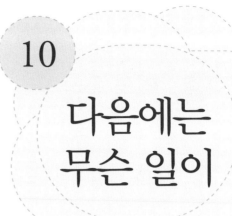

1. 그림의 내용을 살펴봅시다.

2. 그림 ① ~ 그림 ④는 무엇을 나타내는지 말해 봅시다.

3. 그림 ① ~ 그림 ④의 차례를 바르게 하여 붙임 딱지를 붙여 봅시다.

붙임 딱지

4. 붙임 딱지 그림을 차례에 맞게 말로 설명해 봅시다.

 어려운 말이 있어요? 확인해 봐요.

차례

이렇게 사용해요

키 순서에 따라 차례를 정했어요.
차례를 맞추어서 그림을 늘어놓아 보세요.

바르게(바르다)

이렇게 사용해요

줄을 바르게 그어 봅시다.
바른 자세로 앉아서 책을 읽어 봅시다.

숨은 내용 찾아보기

1. 이야기를 듣고 물음에 답해 봅시다. 💿 3

1) 그림 ① ~ 그림 ④의 내용을 말해 보세요.

2) 그림 ④의 아기는 누구일까요?

3) 찢어진 부분의 그림에는 어떤 내용이 있었을지 말해 보세요.

찢어진 부분에는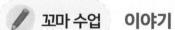

내용이 있었을 것 같습니다.

✏️ **꼬마 수업**　**이야기**

　이야기는 어떤 사실, 일, 겪은 것, 생각한 것 같은 것에 대해 누군가에게 해 주는 말이나 글을 말해요. 재미있는 이야기, 무서운 이야기, 전래 동화 같은 것들이 있어요.

2. 이야기가 적힌 종이의 한 부분이 찢어졌습니다. 찢어진 부분에 어떤 내용이 있었을지 생각해 봅시다.

혹부리 영감

옛날 어느 마을에 얼굴에 혹을 달고 있는 혹부리 영감(할아버지)이 살았어요. 이 할아버지는 노래를 잘 부르는 재주를 가지고 있었어요. 그러던 어느 날 산에 나무를 하러 갔다가 길을 잃고 말았어요. 날이 어두워지자 주인이 없는 산속 오두막에 들어가 노래를 불렀어요. 한참 노래를 부르고 있는데 시끄러운 소리가 들리는 것이었어요. 바로 도깨비가 나타난 것이었지요. 도깨비들이 서서 혹부리 할아버지를 보며 물었어요. "너는 어떻게 이렇게 노래를 잘 부르지?" 하고 막이에

                    …………… 없었어요. 혹도 없앤 할아버지는 그 후로 행복하게 살았어요.

1) 할아버지는 무엇 때문에 노래를 잘 부른다고 말했을까요?

2) 할아버지의 혹은 어떻게 되었을까요?

3) 찢어진 부분에 어떤 이야기가 있을지 생각해서 써 보세요.

찢어진 부분에는

내용이 있었을 것 같습니다.

1. '열 고개' 놀이를 해 봅시다.

2. 나는 어떤 질문들을 했는지 써 봅시다.

되돌아보기

1. 보기 의 낱말을 소리 내어 읽어 봅시다.

보기

차례   바르다   늘어놓다

이야기   부분   나타내다

1) 뜻을 아는 낱말에는 파란색으로, 뜻을 잘 모르는 낱말에는 노란색으로 색칠해 보세요.

2) 뜻을 잘 모르는 낱말이 들어간 문장을 10단원에서 찾아 써 보세요.

2. 일의 차례를 생각하며 그림의 번호를 써 넣어 봅시다.

단원 주제

1. 조사하는 활동 살펴보기
2. 이야기 속 인물 소개하기

알고 싶어요

 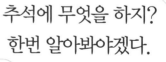

조사하는 활동 살펴보기

1. 조사하는 활동을 알아봅시다.

 조사

조사는 내가 알고 싶은 것에 대해 자세히 알아보는 거예요. 조사할 때는 책을 찾아보기도 하고 조사하는 것에 대해 잘 아는 사람에게 물어보기도 해요. 그리고 다양한 정보를 쉽게 찾을 수 있는 인터넷에서 찾아보기도 해요.

책에서 찾은 내용

추석
우리나라의 대표적인 명절 가운데 하나이다. 음식으로는 햅쌀로 추석의 대표 음식인 송편을 빚고, 시루떡, 인절미, 밤단자를 먹었고, 오곡이 풍성한 계절에 조상들에게 차례를 지내고 강강술래, 소먹이놀이, 소싸움 등 다양한 놀이도 즐겼다.

할머니 추석에는 무엇을 하나요?

추석에는 농사가 잘된 것을 감사하며 차례를 지낸단다.

인터넷에서 찾은 내용

추석에 하는 일

1. 벌초를 하고 성묘를 갑니다.
2. 보름달을 보고 소원을 빕니다.

할머니께서 말씀하신 내용

2. 위의 그림을 보고 요우타는 무엇에 대해 알고 싶어 하는지 발표해 봅시다.

3. 위의 그림에서 요우타가 알고 싶은 것을 조사하는 방법에는 무엇이 있는지 발표해 봅시다.

 어려운 말이 있어요? 확인해 봐요.

다양한(다양하다)

이렇게 사용해요   교실 책장에 있는 책들이 다양해요.
교실 사물함 위에 다양한 작품들이 있어요.

이야기 속 인물 소개하기

1. 이야기를 듣고 물음에 답해 봅시다. 💿 4

1) 이야기에 나오는 사람은 누구인가요?

2) 이야기에 나오는 인물 중 한 사람을 소개하는 아래의 문장을 읽어
   보세요.

이 이야기에 나오는 콩이는 힘든 일을 많이 합니다.

어려운 말이 있어요? 확인해 봐요.

인물

이렇게 사용해요 옛날이야기에는 어떤 인물이 있을까?
콩이는 이야기에 나오는 중요한 인물이다.

소개

이렇게 사용해요 친구들이 우리 마을을 소개해 주었어요.
친구 소개로 장난감 가게를 알게 되었다.

2. 친구들이 이야기 속 인물을 조사하여 소개한 것을 살펴봅시다.

  이 이야기에는 원님이 나옵니다.
원님은 꽃신의 주인을 찾았습니다.

  이 이야기에는 선녀가 나옵니다.
선녀는 콩이를 도와주었습니다.

3. 성우와 다니엘이 조사한 내용을 읽어 봅시다.

이야기 제목: **토끼와 거북이**

이야기 줄거리: 토끼와 거북이는 경주를 합니다. 빠른 토끼는 중간에 쉬다가 그만 낮잠을 잡니다. 거북이는 느리지만 열심히 끝까지 최선을 다합니다. 토끼가 낮잠을 자는 동안 거북이는 먼저 결승선에 도착해서 토끼를 이깁니다.

소개할 인물: 거북이

소개할 내용: 거북이는 비록 느리지만 천천히 끝까지 쉬지 않고 노력하여 경주에서 이깁니다.

이야기 제목: **해님과 바람**

이야기 줄거리: 해님과 바람이 지나가는 사람의 옷을 누가 먼저 벗게 하는지 겨룹니다. 먼저 바람이 바람을 후 불어 옷을 벗기려고 합니다. 하지만 지나가는 사람은 옷을 꽉 움켜줍니다. 다음으로 해님이 따뜻한 햇볕을 보냅니다. 지나가는 사람은 더워서 옷을 벗습니다. 결국 해님이 바람을 이겼습니다.

소개할 인물: 바람

소개할 내용: 바람은 센 힘을 가지고 있지만 사람의 옷을 벗기지는 못하였습니다.

1) **보기** 와 같이 다니엘이 발표할 내용을 완성해 봅시다.

저는 〈토끼와 거북이〉에 나오는 거북이에 대해 조사하였습니다.
거북이는 비록 느리지만 천천히 끝까지 쉬지 않고 노력하여
경주에서 이기는 인물입니다.

저는 〈해님과 바람〉에 나오는 바람에 대해 조사하였습니다.

바람은 _____

_____ 인물입니다.

2) 앞에서 성우와 다니엘이 조사한 내용을 바탕으로 '토끼'와 '해님' 중
하나를 골라 소개해 보세요.

함께 해 봐요

1. '친구 명함 만들기' 놀이를 해 봅시다.

이름: 요우타
생일: 10월 12일
좋아하는 음식: 만두
하고 싶은 일: 의사

2. 내가 조사한 내용을 친구 명함으로 만들어 봅시다.

이름: _____
생일: _____
좋아하는 음식: _____
하고 싶은 일: _____

이름: _____
생일: _____
좋아하는 음식: _____
하고 싶은 일: _____

되돌아보기

1. 다음 낱말들이 들어가는 문장을 11단원에서 찾아 써 봅시다.

방법

조사

인물

소개

완성

2. 다음은 요우타가 '한글날'에 대해 백과사전에서 찾아 조사한 것입니다. 이것을 잘 살펴보고 중요한 내용을 찾아 간단히 써 봅시다.

한글날

　세종대왕이 만든 훈민정음(한글의 옛날 이름)을 널리 알려 백성들에게 쓰게 한 것을 기념하기 위하여 정한 국경일이다. 우리 글자 한글의 우수성을 알리고 한글 연구에 관심을 가지도록 만들기 위해 정한 날이기도 하다. 1926년에 음력 9월 29일로 지정된 '가갸날'이 그 시작이며 1988년 '한글날'로 이름이 바뀌게 되었다.

선택 1
의사소통 한국어 4권
4. 피곤하기는 하지만
행복해요
5차시~8차시

필수
의사소통 한국어 4권
4. 피곤하기는 하지만
행복해요
1차시~4차시

선택 2
학습 도구 한국어
12. 어떤 점이 다를까요

단원 주제

1. 수의 크기 비교하기
2. 여러 가지 모습 비교하기

어떤 점이
다를까요

수의 크기 비교하기

1. 수 모형을 사용해 수의 크기를 비교하고 있습니다. 다음을 읽고 물음에 답해 봅시다.

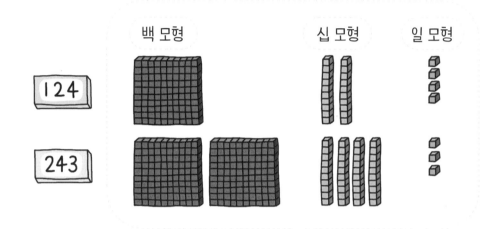

 243은 124보다 크다.

124는 243보다 작다.

1) 수 모형의 개수를 세어 (　　) 안에 써 보세요.

　① 124는 백 모형이 (　　)개, 십 모형이 (　　), 일 모형이 (　　)개이다.
　② 243은 백 모형이 (　　)개, 십 모형이 (　　), 일 모형이 (　　)개이다.
　③ 124와 243 중 백 모형이 더 많은 수는 (　　　　　　　　)이다.

2) 수 모형을 보고 성우와 아이다가 한 말을 따라 써 보세요.

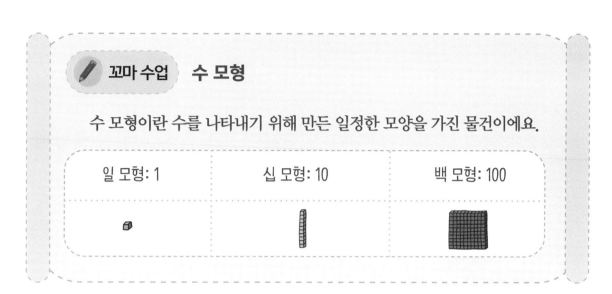

 어려운 말이 있어요? 확인해 봐요.

사용

이렇게 사용해요

스마트폰의 사용 방법을 배웠다.
날씨가 추워져 전기의 사용이 늘었다.

세어(세다)

이렇게 사용해요

술래가 열을 세는 동안 친구들이 숨었다.
필통에 든 연필의 개수를 세어 보니 3자루였다.

2. 두 수의 크기를 비교해서 써 봅시다.

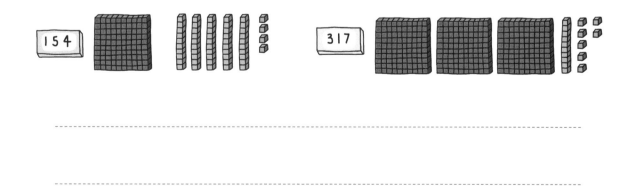

여러 가지 모습 비교하기

1. 겨울과 봄의 모습을 비교하고 있습니다. 다음을 읽고 물음에 답해 봅시다.

1) 두 그림의 공통점은 무엇이에요? 지민이의 말을 소리 내어 읽어 보세요.

2) 두 그림의 차이는 무엇이에요? 요우타의 말을 소리 내어 읽어 보세요.

2. 겨울과 봄의 모습을 살펴보고 비교해 봅시다.

1) 두 그림에 공통적으로 있는 것을 써 보세요.

● 두 그림에 모두 구름이 있어요.

●

●

2) 두 그림의 차이를 말해 보세요.

비교

　비교란 여러 대상을 살펴보고 공통점이나 차이점을 찾는 것을 말해요. 비교를 할 때는 대상의 작은 부분이나 쓰임, 성질 같은 부분까지도 자세하게 살펴보는 것이 좋아요.

 어려운 말이 있어요? 확인해 봐요.

공통적

이렇게 사용해요

책 읽기는 나와 친구의 공통적인 취미이다.
술래잡기는 친구들이 공통적으로 좋아하는 활동이다.

차이

이렇게 사용해요

네모와 동그라미의 차이는 뭘까?
나와 친구의 생각에는 차이가 있다.

3. 과일의 모습을 비교해 봅시다.

수박

귤

1) 수박과 귤의 공통점과 차이점을 말해 보세요.

모양　　색깔　　크기　　?

2) 보기 에서 알맞은 말을 찾아 빈칸을 채워 보세요.

보기

같다　　둥근 모양　　작다　　초록색　　주황색　　다르다

① 수박과 귤의 모양은 (　　　　　　　　　　　).

② 수박과 귤의 색깔은 (　　　　　　　　　　　).

③ 수박과 귤의 크기는 (　　　　　　　　　　　).

④ 수박과 귤은 모두 (　　　　　　　　　　)이다.

⑤ 수박의 색깔은 (　　　　　　　　)이고, 귤의 색깔은
　 (　　　　　　　　　　)이다.

⑥ 귤은 수박보다 크기가 (　　　　　　　　　　).

1. '물건 찾기' 놀이를 해 봅시다.

모양이 같은 물건을
찾아볼까?

책과 공책은 같은 모양이야.
쪽지에 책과 공책이라고
써야지.

2. 놀이를 하면서 친구들이 말한 내용을 써 봅시다.

되돌아보기

1. 같은 모양을 연결하여 낱말을 만들어 써 봅시다.

1)

2)

3)

4)

2. 농구공과 야구공을 비교해 봅시다.

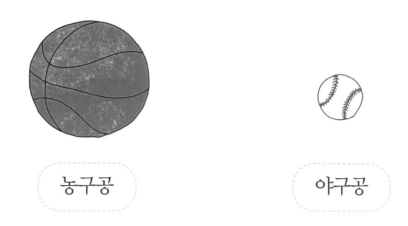

농구공   야구공

1) 농구공과 야구공을 살펴보세요.

모양   색깔   크기   쓰임

2) 농구공과 야구공을 비교해 말해 보세요.

무엇이 같을까?   무엇이 다를까?

선택 1

의사소통 한국어 4권
5. 알기 쉽게 설명해 준
   덕분에 이해했어
   5차시~8차시

필수

의사소통 한국어 4권
5. 알기 쉽게 설명해 준
   덕분에 이해했어
   1차시~4차시

선택 2

학습 도구 한국어
13. 특징이 있어요

단원 주제

1. 부분으로 나누어 설명하기
2. 사물의 여러 가지 특징을 찾아보기

특징이 있어요

1. 빈센트의 말을 소리 내어 읽고 물음에 답해 봅시다.

내가 좋아하는 것

내가 잘하는 것

안녕하세요? 저를 소개할게요. 제 이름은 빈센트입니다. 제가 좋아하는 것은 부메랑 놀이입니다. 제가 잘하는 것은 노래 부르기입니다. 제가 알고 있는 케냐 노래를 친구들에게 알려 주고 싶습니다. 앞으로 사이좋게 지냈으면 좋겠습니다.

1) 빈센트는 무엇을 하고 있어요?

2) 빈센트가 좋아하는 것을 소개하는 말에서 찾아 ○표 해 보세요.

3) 빈센트가 잘하는 것을 소개하는 말에서 찾아 △표 해 보세요.

어려운 말이 있어요? 확인해 봐요.

알려 주고(알려 주다)

이렇게 사용해요　놀이 방법을 알려 주었어요.
보건실이 어디에 있는지 알려 주세요.

2. 내가 좋아하는 것과 잘하는 것을 친구에게 소개해 봅시다.

내 이름

내가 좋아하는 것

내가 잘하는 것

사물의 여러 가지 특징을 찾아보기

1. 사물을 부분으로 나누어 살펴봅시다.

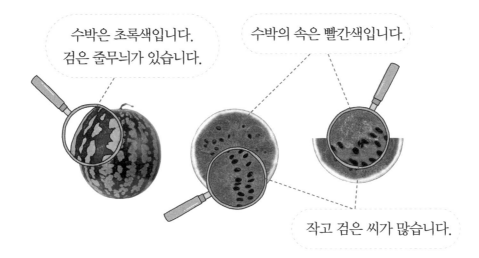

수박은 초록색입니다.
검은 줄무늬가 있습니다.

수박의 속은 빨간색입니다.

작고 검은 씨가 많습니다.

파프리카의 몸통은 빨간색입니다.

꼭지는 초록색입니다.

노란색 씨가 많습니다.

1) 수박을 부분으로 나누어 살펴보세요. 수박의 특징을 소리 내어 읽어
   보세요.

2) 파프리카를 부분으로 나누어 살펴보세요. 파프리카의 특징을 소리
   내어 읽어 보세요.

2. 사물을 부분으로 나누어 살펴보고 쓴 글입니다. 다음을 읽고 물음에
   답해 봅시다.

'자전거' 하면 무엇이 떠오르나요? 자전거를 부분으로 나누어 살펴봅시다.
자전거의 생김새에서 가장 먼저 보이는 것은 바퀴입니다. 자전거에는 두 개의
바퀴가 있습니다. 그리고 페달도 두 개 있습니다. 발로 페달을 밟으면 자전거가
앞으로 나아갑니다.

바퀴

페달

1) 자전거를 어떻게 살펴보았어요?

2) 자전거의 어느 부분을 살펴보았어요?

3) 자전거의 생김새를 알 수 있는 문장에 밑줄을 그어 보세요.

나누어 살펴보기

하나의 사물을 여러 개의 부분으로 나누어 각 부분을 자세히 살펴보는 것이에요. 사물을 부분으로 나누어 살펴보면 사물의 특징을 잘 알 수 있어요.

바퀴

페달

 어려운 말이 있어요? 확인해 봐요.

특징

이렇게 사용해요

코끼리의 특징은 긴 코이다.
수박은 검은색 줄무늬가 특징이다.

떠오르나요(떠오르다)

이렇게 사용해요

좋은 생각이 떠올랐다.
오랜만에 만난 친구의 이름이 떠올랐다.

생김새

이렇게 사용해요

달의 생김새는 동그랗다.
내가 가진 인형은 생김새가 독특하다.

3. 토마토를 부분으로 나누어 살펴보고 글로 써 봅시다.

1. '부분 그림 보고 알아맞히기' 놀이를 해 봅시다.

2. 부분으로 나누어 살펴본 사물의 특징을 간단하게 써 봅시다.

사물 이름:

특징 1:

특징 2:

특징 3:

1. 같은 색깔의 카드 속 글자를 연결하여 낱말을 완성해 봅시다.

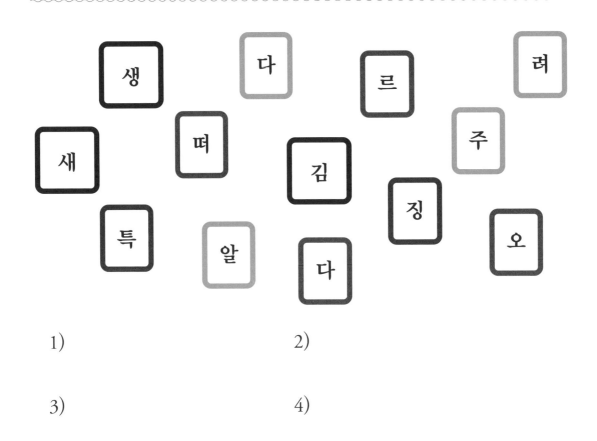

1)

2)

3)

4)

2. 위 낱말을 이용하여 문장을 완성해 봅시다.

1) 토끼의 (   )을/를 살펴보았다.

2) 재미있는 생각이 (   ).

3) 친구에게 무서운 이야기를 (   ).

4) 사과는 동그랗고 빨간 것이 (   )이다.

3. 사물을 부분으로 나누어 살펴보고 설명하는 글을 써 봅시다.

1) 소고를 부분으로 나누어 살펴보세요.

2) 1)의 내용을 바탕으로 소고를 설명하는 글을 써 보세요.

선택 1

의사소통 한국어 4권
6. 달리기하다가 넘어지고
말았어요
5차시~8차시

필수

의사소통 한국어 4권
6. 달리기하다가 넘어지고
말았어요
1차시~4차시

선택 2

학습 도구 한국어
14. 잘 했는지 확인해요

단원 주제

1. 내가 한 일 되돌아보기
2. 친구의 작품 평가하기

내가 한 일 되돌아보기

1. 요우타가 숙제를 열심히 했는지 되돌아보고 있습니다. 요우타의 생각을 살펴봅시다.

실천 평가표

내가 한 집안일	열심히 했나요?
	😀 🙂 😐
	😀 🙂 😐

'집안일 돕기' 숙제를 어떻게 했어요?
열심히 실천했는지 생각해 봐요.
숙제로 한 집안일을 빈칸에 쓰세요.
열심히 했는지 알맞은
그림에 표시하세요.

신발 정리를 했어.
매일 했으니까
😀에 표시해야지.

놀고 나서
장난감 정리를 못했어.
😐에 표시해야겠다.

평가

수업에서 평가는 활동을 잘 했는지, 활동 결과물이 잘 되었는지, 해야 할 일을 열심히 했는지 등을 생각해 보는 거예요.

2. 요우타가 숙제를 잘 했는지 확인해 봅시다.

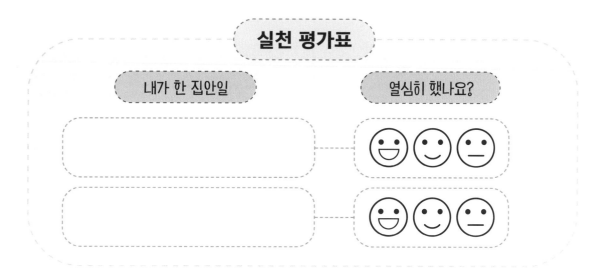

실천 평가표

내가 한 집안일   열심히 했나요?

1) '내가 한 집안일' 칸에 요우타가 한 일을 써 보세요.

2) 1번 그림 속 요우타의 생각을 보고 '열심히 했나요?'의 알맞은 그림에 표시해 보세요.

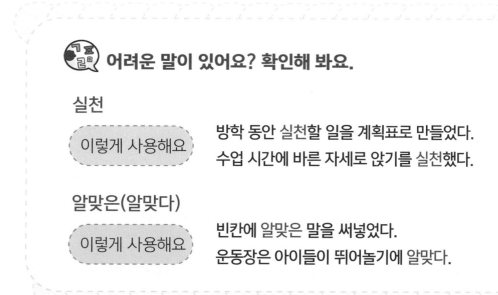

어려운 말이 있어요? 확인해 봐요.

실천

이렇게 사용해요
방학 동안 실천할 일을 계획표로 만들었다.
수업 시간에 바른 자세로 앉기를 실천했다.

알맞은(알맞다)

이렇게 사용해요
빈칸에 알맞은 말을 써넣었다.
운동장은 아이들이 뛰어놀기에 알맞다.

친구의 작품 평가하기

1. 친구의 작품을 살펴보려고 합니다. 다음을 읽고 물음에 답해 봅시다.

1) 친구의 작품을 살펴보고 무엇을 해야 해요?

2) 성우가 친구의 그림을 보고 찾겠다고 한 것에 밑줄을 그어 보세요.

3) 아이다가 친구의 그림을 보고 찾겠다고 한 것에 밑줄을 그어 보세요.

2. 친구들이 지민이의 작품을 평가하고 있습니다. 읽고 물음에 답해
   봅시다.

1) 친구들이 지민이의 그림을 보고 말한 잘된 점을 소리 내어 읽어
   보세요.

2) 아이다가 지민이의 그림을 보고 말한 고칠 점을 써 보세요.

어려운 말이 있어요? 확인해 봐요.

작품

이렇게 사용해요   국어 시간에 문학 작품을 읽었다.
친구들의 미술 작품을 살펴보았다.

드러났는지(드러나다)

이렇게 사용해요   내 생각이 드러나게 글을 썼다.
표정에 친구의 기분이 드러났다.

3. 작품을 평가할 때 지민이가 더 생각해 보고 싶어 하는 부분을
   소리 내어 읽어 봅시다.

4. 요우타의 그림을 보고 평가해 봅시다.

제목: 얼음집 이글루
이름: 요우타

설명: 색연필과 사인펜으로 추운 나라의 집을 그렸다. 추운 나라인 것을 표현하려고 눈도 함께 그렸다.

1) 요우타는 무엇을 그렸어요?

2) 요우타의 그림을 평가해서 말해 보세요.

잘된 점   재미있는 표현   고칠 점

1. '누가 누가 잘했나' 활동을 해 봅시다.

2. 친구들이 작품을 평가한 내용을 써 봅시다.

1. 제시된 자음자로 만들 수 있는 낱말을 보기 에서 찾아 써 봅시다.

보기

드러나다   실천   알맞다   작품

1) ㅅ ㅊ   (   )

2) ㅈ ㅍ   (   )

3) ㅇ ㅁ ㄷ   (   )

4) ㄷ ㄹ ㄴ ㄷ   (   )

2. 위 낱말 중에서 뜻을 알고 있는 낱말에 ○표 해 봅시다. 그중 하나를 골라 짧은 문장을 만들어 써 봅시다.

_____

_____

3. 나를 칭찬해 봅시다.

1) 칭찬하고 싶은 나의 모습을 그려 보세요.

2) 나를 칭찬하는 말을 써 보세요.

선택 1

의사소통 한국어 4권
7. 백성을 위해 한글을
만드셨어요
5차시~8차시

필수

의사소통 한국어 4권
7. 백성을 위해 한글을
만드셨어요
1차시~4차시

선택 2

학습 도구 한국어
15. 어떻게 해결할까요

단원 주제

1. 과학 문제 해결하기
2. 칠교판으로 모양 만들기

어떻게
해결할까요

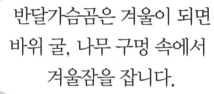

반달가슴곰은 겨울이 되면
바위 굴, 나무 구멍 속에서
겨울잠을 잡니다.

겨울잠을 자는 동물은
뭐가 더 있을까?

왜 겨울잠을 잘까?

과학 문제 해결하기

1. 궁금한 점을 해결하는 방법을 알아봅시다.

1) 겨울잠을 자는 동물을 써 보세요.

2) 아이다가 궁금해하는 점을 소리 내어 읽어 보세요.

3) 궁금한 점을 해결하기 위해 요우타가 제시한 방법을 말해 보세요.

2. 아이다가 조사하여 정리한 내용을 읽고 물음에 답해 봅시다.

곰은 겨울잠을 잔다. 왜냐하면 겨울에는 먹을 것이 없기 때문이다.

뱀도 겨울에 땅속에서 잠을 잔다. 왜냐하면 추운 바깥에 있으면 얼어 죽기 때문이다.

1) 곰이 겨울잠을 자는 까닭을 찾아 써 보세요.

_____

2) 뱀이 겨울잠을 자는 까닭을 찾아 써 보세요.

_____

 어려운 말이 있어요? 확인해 봐요.

제시

이렇게 사용해요
체육 시간에 지켜야 할 규칙을 제시했다.
친구가 제시한 방법으로 수학 문제를 풀었다.

칠교판으로 모양 만들기

1. 칠교판으로 모양을 만들려고 합니다. 다음을 읽고 물음에 답해 봅시다.

칠교판을 이용해서 만든 모양이에요. 빈 곳에 어떤 조각이 들어가면 좋을까요? 빈 곳에 들어갈 조각을 추측해 보세요.

칠교 조각으로 나무 모양을 만들면 되네.

1) 해결해야 할 문제는 무엇이에요? 밑줄 그은 부분을 소리 내어 읽어 보세요.

2) 문제를 해결하기 위해 필요한 것은 무엇이에요?

 꼬마 수업   **칠교판**

칠교판이란 다양한 세모 모양 조각 5개, 네모 모양 조각 2개로 이루어진 놀이판을 말해요. 일곱 조각을 모두 붙이면 옆의 그림처럼 큰 네모 모양을 만들 수 있어요.

2. 요우타의 생각을 살펴보고 문제를 해결해 봅시다.

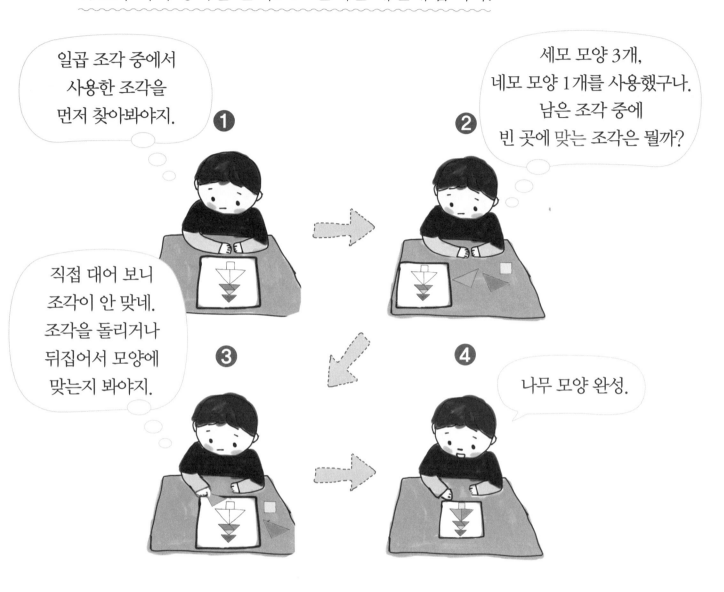

1) 요우타의 생각을 순서대로 소리 내어 읽어 보세요.

2) 칠교판을 이용하여 제시된 모양을 완성해 보세요. 부록

어려운 말이 있어요? 확인해 봐요.

추측

이렇게 사용해요
그 경기에서 누가 이길지를 추측해 보았다.
친구의 표정을 보며 기분을 추측해 보았다.

맞는(맞다)

이렇게 사용해요
실내화가 발에 맞다.
맞춤법에 맞게 낱말을 고치세요.

3. 칠교판으로 다음 모양을 만들어 봅시다.

칠교판을 이용하여 제시한 모양을 만들어 보세요.
모양을 만들 때 일곱 조각을 모두 사용하세요.
조각과 조각이 완전히 떨어지거나
겹치는 부분이 있으면 안 돼요.

1) 모양을 만들 때 주의해야 할 점은 무엇이에요? 밑줄 그은 부분을
   소리 내어 읽어 보세요.

2) 주의할 점을 생각하며 칠교판으로 모양을 만들어 보세요. 부록

4. 칠교판으로 모양을 만들다 생긴 문제를 해결해 봅시다.

1) 지민이에게 생긴 문제는 무엇이에요?

2) 요우타가 제시한 해결 방법을 소리 내어 읽어 보세요.

3) 지민이가 잘못 만든 부분을 고쳐서 카드 속 모양을 만들어 보세요. 부록

 어려운 말이 있어요? 확인해 봐요.

주의

이렇게 사용해요 실험 도구가 깨지지 않게 주의해서 다루었다.
모둠 활동을 할 때 주의해야 할 일을 알아보았다.

1. 칠교놀이를 해 봅시다. 부록

2. 나와 친구들이 무엇을 만들었는지 써 봅시다.

나:

친구 1:

친구 2:

---

1. 같은 색깔의 카드를 모아 문장을 완성해 봅시다.

제시한 낱말 카드 중에 두 개를

주의해야 할 점이 많다.

내가 추측한 내용이

이용해서 문장을 만들었다.

안전하게 체험 학습을 하기 위해서는

맞는 답이었다.

2. 친구들의 이야기를 살펴보고 물음에 답해 봅시다.

1) 성우가 궁금한 것은 무엇이에요?

2) 성우가 문제를 해결한 방법을 써 보세요.

----

3) 성우가 찾은 답을 소리 내어 읽어 보세요.

선택 1
의사소통 한국어 4권
8. 성격이 아주
유쾌한가 봐
5차시~8차시

필수
의사소통 한국어 4권
8. 성격이 아주
유쾌한가 봐
1차시~4차시

선택 2
학습 도구 한국어
16. 발명가가 될래요

단원 주제

1. 발명하고 싶은 물건 소개하기
2. 상상한 내용 표현하기

발명가가 될래요

나는 커서 무엇이 될까?

여러분은 나중에
무엇이 되고 싶어요?
잘 생각해 보고 글로 써 보세요.

난 발명가가 되고 싶어.

난 야구 선수가 될래.

난 축구 선수가
되어야지.

난 연예인이 될 거야.

난 선생님이 되면 좋겠어.

발명하고 싶은 물건 소개하기

1. 성우가 발명하고 싶은 물건을 소개하고 있습니다. 소리 내어 읽어 봅시다.

> 제가 발명하고 싶은 것은
> 공부를 도와주는 기계입니다.
> 제가 모르는 것이 있을 때 기계에게
> 직접 물을 수 있으면 좋겠습니다.
> 그러면 그 기계의 대답을 듣고 모르는
> 것을 쉽게 알 수 있을 것 같습니다.

 어려운 말이 있어요? 확인해 봐요.

발명

이렇게 사용해요

학생 발명 대회에서 최우수상을 받았습니다.
비행기의 발명으로 많은 사람들이 세계 여행을 합니다.

직접

이렇게 사용해요

내가 푼 시험지를 내가 직접 채점했다.
어머니께서 직접 만드신 장갑을 손에 껴 보았다.

2. 내가 발명하고 싶은 물건을 보기 와 같이 소개해 봅시다.

보기

저는 스스로 글씨를 쓰는 연필을 만들고 싶어요. 글씨를 써야 할 때 말을 하면 바로 공책에 예쁜 글씨로 써 주는 연필이요. 그게 있으면 매우 편리할 것 같아요.

내 얼굴을 그리거나
내 이름 쓰기

내가 발명하고 싶은 것을 소개하는 글

발명하고 싶은 것을
간단히 그리기

상상한 내용 표현하기

1. 내가 커서 되고 싶은 것을 상상해 보고 그림으로 표현해 봅시다.

2. 1번에서 상상한 내용을 글로 써 봅시다.

🔤 **어려운 말이 있어요? 확인해 봐요.**

표현

이렇게 사용해요   내 생각을 글로 표현해 보았다.
나는 감정 표현을 잘하는 편이다.

3. 그림일기 쓰는 차례를 알아봅시다.

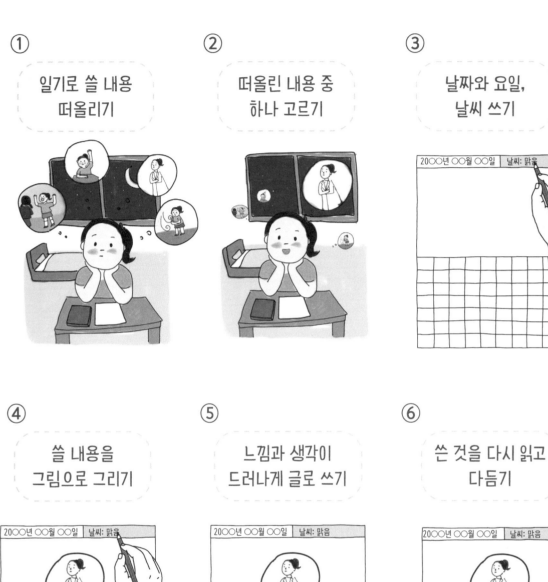

① 일기로 쓸 내용 떠올리기

② 떠올린 내용 중 하나 고르기

③ 날짜와 요일, 날씨 쓰기

④ 쓸 내용을 그림으로 그리기

⑤ 느낌과 생각이 드러나게 글로 쓰기

⑥ 쓴 것을 다시 읽고 다듬기

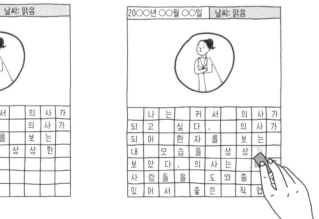

4. 그림일기를 써 봅시다.

2019년 월 일 요일	☀ ⛅ ☁ ☂ ☃
제목 :	

✏ **꼬마 수업**   **여러 가지 일기**

  일기는 오늘 나에게 있었던 일 중에서 기억에 남는 것, 특별한 것을 주로 쓰지만 다른 내용과 형식으로도 쓸 수 있어요. 선생님께서 정해 주시는 주제에 따라 쓰는 주제 일기, 책을 읽고 생각하고 느낀 점을 쓰는 독서 일기, 신문을 읽고 쓰는 신문 일기, 이야기를 상상하고 지어서 쓰는 상상 일기, 관찰한 것을 쓰는 관찰 일기, 조사한 것을 쓰는 조사 일기, 만화로 표현하는 만화 일기, 동시로 표현하는 동시 일기 등이 있어요.

함께 해 봐요

1. '상상해서 함께 그리기' 활동을 해 봅시다.

> 여러분이 큰 종이에 스케치한 그림을 네 등분으로 나누겠어요.

> 나는 우주가 잘 드러나게 그림을 그릴게.

> 우주를 탐험하는 그림을 그려 보자.

> 이제 나누어 준 종이에 각자 색칠을 해 주세요.

2. 작품이 나타내는 것을 친구들 앞에서 발표해 봅시다.

1. 알맞은 것끼리 연결해 봅시다.

상상	직접	일기	발명	표현
●	●	●	●	●

●	●	●	●	●
오늘 하루 있었던 특별한 일이나 특별한 주제에 대해 쓴 글	세상에 없는 것을 만들어 냄.	느낌, 생각 등을 말이나 글, 몸짓, 그림 등으로 나타냄.	실제 일어나지 않는 것을 생각해 냄.	중간에 아무것도 없이 바로

2. 선생님께서 '내가 커서 엄마(아빠)가 된다면'에 대한 주제로 상상 일기를 쓰는 숙제를 내주셨습니다. 그림일기로 써 봅시다.

년 월 일	날씨:

듣기 지문

6단원 · 수행 평가는 이렇게

〈1〉 친구의 발표를 듣고 칭찬하기

〈track 1〉
저밍: 내 꿈은 요리사입니다. 나는 요리가 재미
   있고, 음식을 먹는 것이 좋습니다. 세계 여러
   나라의 음식을 먹어 보고, 만들고 싶습니다.
   많은 사람들에게 맛있는 음식을 만들어
   줄 것입니다.

〈4〉 되돌아보기

〈track 2〉
리암: 나는 태권도를 잘합니다. 다섯 살 때 태권
   도를 시작해서 지금까지 열심히 하고 있
   습니다. 지금은 검은 띠를 매고 있습니다.
   태권도를 잘하려면 매일매일 꾸준히 연습
   해야 합니다. 여러분도 태권도를 잘하고
   싶으면 열심히 연습하세요.

10단원 · 다음에는 무슨 일이

〈2〉 숨은 내용 찾아보기

〈track 3〉
옛날 어느 산골 마을에 마음씨 착한 할아버지와
할머니가 살고 있었어요. 어느 날 할아버지는
산에 나무를 하러 갔다가 예쁜 새 한 마리를 보
게 되었어요. 이 새를 따라가 보니 작은 샘물이
보였어요. 목이 말랐던 할아버지는 샘물을 한
모금 마셨답니다. 샘물을 마시고 나서 할아버
지는 얼굴을 샘물에 가까이 대고 보았어요. 그

런데 할아버지는 그만 깜짝 놀라고 말았어요.
샘물에 보이는 것은 젊은 남자의 얼굴이었기
때문이에요.
"이런, 내가 젊은 남자가 된 것이야?"
놀라서 집으로 돌아온 할아버지는 할머니를 불
렀어요. 할머니는 자기를 부르는 젊은 남자를
보고 깜짝 놀랐어요.
"누구세요? 나를 아세요?"
"내가 당신 남편이에요."
깜짝 놀란 할머니는 무슨 일이 생겼는지 물었
어요.
"샘물을 마셨더니 이렇게 젊은 남자가 되었어요."
할머니는 할아버지의 말을 믿을 수가 없었어요.
그러자 젊은 남자가 된 할아버지가 할머니를 데
리고 그 샘물로 갔어요. 그리고 할머니도 할아버
지처럼 샘물을 한 모금 떠 마셨답니다. 샘물을
마신 할머니도 젊은 여자로 변했어요.
"정말이네요. 샘물을 마시니 젊은 여자가 되었
어요."
젊은 부부로 변한 할아버지와 할머니는 집으로
돌아와 행복하게 지내고 있었어요. 그런데 어
느 날 옆 마을에 사는 욕심쟁이 할아버지가 찾
아왔어요. 그 할아버지는 젊어진 할아버지와
할머니를 보고 깜짝 놀랐어요.
"아니, 이게 어떻게 된 일이야?"
젊어진 할아버지는 샘물에 대한 이야기를 해
주었지요. 샘물이 어디에 있는지도 알려 주었
어요.
자, 그다음 이야기는 교과서 그림을 보고 생각
해 보세요.

〈2〉 이야기 속 인물 소개하기

〈track 4〉

콩이는 마음씨가 곱고 착해서 사람들은 모두 콩이를 좋아했어요. 그런데 콩이가 일하는 곳에는 콩이를 괴롭히는 나쁜 아주머니가 있었어요. 그 아주머니는 팥이라는 딸이 있었어요. 아주머니는 팥이만 예뻐하고 콩이는 일만 시켰어요. 콩이는 늘 힘든 일을 많이 했습니다.

어느 날 마을에 새로운 원님이 오게 되었어요. 원님은 오늘날의 시장 같은 사람이에요. 원님이 오는 날 마을에 잔치가 열렸어요. 아주머니는 콩이에게 정말 많은 일을 시켰어요. 그리고 팥이만 데리고 잔치에 갔어요. 콩이도 정말 마을 잔치에 가고 싶었어요. 하지만 콩이는 잔치에 입고 갈 옷도 없었어요. 콩이는 그만 눈물이 나고 말았어요. 그런데 그 순간 하늘에서 선녀가 내려와 콩이에게 예쁜 옷과 꽃신을 선물해 주었어요. 선녀는 아주머니가 시킨 일을 도울 수 있도록 동물들도 불러 주었답니다. 콩이는 많은 일을 빨리 끝낼 수 있었어요. 드디어 콩이는 예쁜 옷을 입고 꽃신도 신고 마을 잔치에 가게 되었어요.

그런데 너무 서두르다 보니 그만 꽃신 한 짝을 떨어뜨리고 말았어요. 마침 그곳을 지나던 원님은 떨어진 꽃신을 보고 줍게 되었어요. 아주 예쁜 꽃신을 보고 원님은 꽃신의 주인을 찾기 시작했어요. 곧 원님은 꽃신의 주인을 찾았습니다. 바로 콩이였지요. 원님은 콩이가 마음씨 착하고 사랑스러운 아가씨라는 것도 알게 되었어요. 원님과 콩이는 어떻게 되었을까요? 원님과 콩이는 결혼해서 행복하게 살았답니다.

정답

1단원 · 새싹이 났어요

〈1〉 자세히 살펴보는 활동 이해하기

1. 2) ① 새싹을 자세히 살펴보려고 해요.
② 돋보기를 이용해요.

2. 2) 하미는 새싹을 자세히 살펴보았습니다.
새싹은 큰 잎이 두 개 있습니다. 큰 잎 사이에
아주 작은 잎이 있습니다.

〈2〉 수업 시간에 할 수 있는 여러 활동 살펴보기

1. 1) 단원, 준비물, 확인
2)

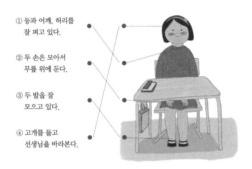

① 등과 어깨, 허리를
잘 펴고 있다.

② 두 손은 모아서
무릎 위에 둔다.

③ 두 발을 잘
모으고 있다.

④ 고개를 들고
선생님을 바라본다.

2. 1) ① 지었습니다.
② 새싹의 이름: 나비
이름을 정한 까닭: 새싹이 나비와 모양이
비슷하기 때문이다.
③ 저는 새싹의 이름을 나비로 정했습니다.
그 이름을 정한 까닭은 새싹이 나비와
모양이 비슷하기 때문입니다.

〈3〉 함께 해 봐요

2. 이제 칠판 앞에 다 왔어. 지금 큰 원을 그려.

지금 얼굴을 그려.

손을 왼쪽으로! 손을 좀 더 위로! 그곳에(거
기에) 왼쪽 눈을 그려. 그곳에(거기에) 작은
점(원)을 그려. 손을 좀 더 옆으로! 그곳에
(거기에) 오른쪽 눈을 그려. 작은 점(원)을
한 번 더 그려.

이제 손을 좀 더 아래로! 그곳에(거기에) 코
를 그려. 세로로 선을 그어.

다음으로 손을 조금 내려서 입을 그려. 가로
로 선을 그어.

〈4〉 되돌아보기

3. 1) 새싹은 잎이 두 개예요. 잎은 초록색이에
요. 두 잎은 서로 붙어 있어요.
2) 새싹은 잎이 두 개이다. 잎은 초록색이다.
두 잎은 서로 붙어 있다.

2단원 · 의미를 찾아요

〈2〉 예상해서 답하기

1. 1) ① 자음자 카드는 기역, 니은, 디귿, 리을
순서로 이어지고 있어요.
② 모음자 카드는 아, 야, 어, 여 순서로 이
어지고 있어요.
3) 한글 카드는 자음자 한 번, 모음자 한 번,
순서대로 이어진다. 자음자, 모음자의 순서는
'한글 자음자와 모음자의 순서'와 같다.

2. 1) ① 2시에 끝나요.

②

2) 3교시는 10시 40분에 시작해요.

〈3〉 함께 해 봐요

2. 세모 다음에는 동그라미가 이어지네. 그다음에 또 세모가 이어져. 그리고 동그라미가 이어져. 세모와 동그라미가 번갈아 이어지네. 그럼 세모를 그리면 돼.
네모 다음에는 동그라미가 이어지네. 그다음에 또 네모가 이어져. 그리고 동그라미가 이어져. 그럼 네모를 그리면 돼.

〈4〉 되돌아보기

3. 음악실을 나타내요.
음악실과 같은 장소를 의미해요.

4. 1) 다음에는 연필 네 자루와 공책 네 권이 이어져요./다음에는 연필 네 자루와 공책 네 권이 이어질 것을 예상할 수 있어요.
2) 연필이 한 자루씩 늘어나고 공책은 한 권씩 늘어난다./연필과 공책이 함께 하나씩 늘어난다.

3단원 · 궁금한 것을 물어봐요

〈1〉 우리 반이 함께 할 일 계획하기

1. 1) 우리 반 교실에서 해요.
2) 동요 부르기, 악기 연주하기

2. 강당
태권도하기

〈2〉 가족 행사표 만들기

1. 1) 리암은 입학식과 내 생일을 조사했어요.
2) 입학식은 3월 2일에 해요.

2. 1) 우리 반 교실에서 해요.
2) 생일 케이크와 미역국을 먹어요. 생일을 축하하는 노래를 불러요.

3. 1)

5월 달력

2) 동물원
3) 부모님과 함께 동물원에 가기로 했습니다. 동물원에서 먹이 주기 체험을 할 계획입니다.

4. 예 **저밍의 가족 행사표**

언제	5월 8일
어디에서	우리 집
무엇을	부모님께 감사 편지를 드린다. 카네이션을 만들어 드린다.

〈3〉 함께 해 봐요

2. 예 **체험 학습 계획표**

어디에서	동물원
무엇을	먹이 주기 체험하기

〈4〉 되돌아보기

2. 1) 계획
  2) 조사
  3) 체험
  4) 알아보다./알아보았다.

3. 1) **예**

어디에서	교실 뒤
무엇을	딱지치기

  2) **예**

어디에서	무엇을
운동장	술래잡기

4단원 · 더 길어요 더 짧아요

〈1〉 대상을 비교하여 말하기

2. 책이 풀보다 더 무겁습니다./풀이 책보다 더 가볍습니다.
  농구공이 책보다 더 무겁습니다./책이 농구공보다 더 가볍습니다.
  농구공이 가장 무겁습니다./풀이 가장 가볍습니다.

〈2〉 바르고 고운 말 사용하기

1. 1) 기분이 나빠요, 사탕을 주기 싫어요.
  2) 기분이 좋아요, 사탕을 나눠 주고 싶어요.
  3) 나도 사탕 먹고 싶어. 사탕을 나눠 줄래?

2. 1)

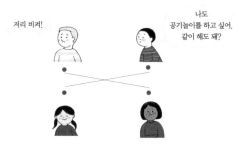

  2) 나도 공기놀이를 하고 싶어. 같이 해도 돼?

3. 고마워.
  미안해.

4. 고마워.
  괜찮아.

〈3〉 함께 해 봐요

2. **예** 짝꿍의 연필이 내 연필보다 더 길다.
  성우의 자가 가장 짧다.

4. **예** 희망 모둠의 탑이 가장 높다.
  사랑 모둠의 탑이 우리 모둠의 탑보다 더 낮다.

〈4〉 되돌아보기

1. 1) 같다
  2) 가장
  3) 다르다

2. 가장
  더

3. **예** 고마워.

〈1〉수학 문제 해결하기

1. 1) 7+6+3

   2) 먼저 7하고 3을 더해서 10을 만들었어요.
   그리고 10에 6을 더했더니 16이 나왔어요.

〈2〉문제점을 찾아 해결하기

1. 2) ㉮ 에너지를 낭비해서요.
   에어컨을 켜 놓고 창문을 열어 놓았어요.
   선풍기를 켜 놓았어요.
   형광등과 스탠드를 모두 켜 놓았어요.
   쓰지 않는 컴퓨터를 켜 놓았어요.

2. 1)

   2) ㉮ 꼭 필요한 불만 켜야 해./쓰지 않는
   전자 기기는 꺼 놓아야 해.

〈3〉함께 해 봐요

2. 환경 오염 문제를 해결하려면 분리수거를
   잘 해야 합니다.
   환경 오염 문제를 해결하려면 대중교통을
   자주 이용해야 합니다.
   환경 오염 문제를 해결하려면 샴푸와 린스를
   적게 사용해야 합니다.
   환경 오염 문제를 해결하려면 쓰레기를

함부로 버리면 안 됩니다.

〈4〉되돌아보기

2. ㉮ 시험지를 다 풀었어요./시험지를 다 풀었
   습니다.
   그렇게 생각한 이유가 무엇이에요?/그렇게
   생각한 이유가 무엇입니까?

3. 1) 미세먼지가 심합니다.

   2)

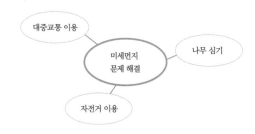

6단원 · 수행 평가는 이렇게

〈1〉친구의 발표를 듣고 칭찬하기

1. 1) 평가를 하고 계세요.
   2) 듣는 사람을 바라보며 말해요.
   목소리 크기가 적당해서 잘 들려요.

2. 2) ㉮ 목소리 크기가 적당해서 잘 들렸어.
   또박또박 말해서 듣기 좋았어.

〈2〉수행 평가 과정 익히기

1. 1) 다음 주
   2) 시계를 보고 시각 읽는 것을 평가해요.

2. 1) 1. 가정 통신문 2장
   2. 다음 주 목요일: 수학 5단원 수행 평가
   2) ㉮ 수학 수행 평가를 위해 공부를 했어요.

국어 수행 평가 역할 놀이를 연습했어요.

4. 1) 같은 줄에 있는 친구들의 시험지를 모두 모아서 선생님께 가져오라는 뜻이에요.
   2) 번호와 이름은 잘 썼는지, 풀지 않은 문제는 없는지 살펴봐요.
   3) 맨 뒤에 있는 친구가 가져와요.

〈4〉 되돌아보기

1.

사	과	자	르	다	로	부	고
순	피	정	시	어	감	히	르
정	차	물	조	힘	칭	장	다
다	시	래	요	구	찬	어	칠
시	물	구	간	금	바	들	이
임	정	해	적	당	하	다	용
확	방	평	재	답	평	포	골
음	법	요	기	자	차	가	라

3.

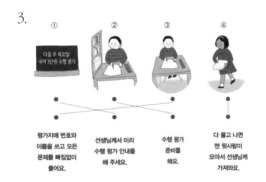

4. 예 목소리 크기가 적당해서 잘 들렸어요. 또박또박 말해서 듣기 좋았어요.

7단원 · 책 속으로 풍덩

〈1〉 주인공이 되어 말하기

1. 1) 부리가 뾰족해서요. 여우가 납작한 접시에 국을 주어서요.

2) 예 기분이 나빴을 것 같아요./속상했을 거예요./화가 났을 것 같아요.

2. 예 점점 기분이 나빠졌어요./속상했어요./화가 났어요.

〈2〉 독서 기록장 쓰기

2. 1) 알밤, 송곳, 자라, 맷돌, 지게, 멍석, 물찌똥 등(학교에 구비된 책에 따라 답이 달라질 수 있음)
   2) 예 송곳이 숨어 있다가 호랑이 엉덩이를 쿡 찌를 것 같아요/무거운 맷돌이 숨어 있다가 쿵 떨어지며 호랑이를 공격해요.

〈4〉 되돌아보기

1.

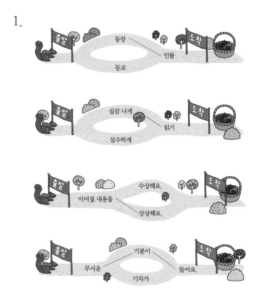

2. 예

제목	강아지똥
지은이	권정생
느낀 점	강아지똥이 민들레꽃을 꼭 안아 줄 때 행복한 기분이 들었다.

3. 예 집에 들어가자 맛있는 냄새가 났어요. 그런데 황새가 길쭉한 병에 물고기를 담아 왔어요. 황새는 긴 부리로 물고기를 먹었지만

여우는 먹을 수 없었어요. "어머, 여우야. 넌 물고기를 싫어하는구나."라고 황새가 말했어요. 그리고 황새가 물고기를 모두 다 먹어 버렸어요.

8단원 · 나누어 보고 묶어 보고

〈1〉 같은 모양끼리 묶기

1.

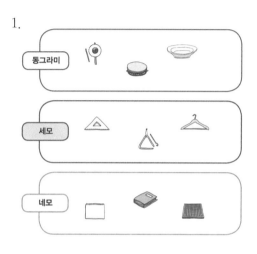

1) 모양에 따라 나누었어요.
2) 축구공이에요.
3) 예 국어사전, 컴퓨터, 어항

〈2〉 동물을 여러 가지 방법으로 분류하기

1. 1) 여름에 볼 수 있는 새와 겨울에 볼 수 있는 새로 분류하고 있어요.
   2) 고니예요.
   3) 요우타: 여름에 볼 수 있는 새와 겨울에 볼 수 있는 새로 분류해 볼까? 청둥오리는 겨울에 볼 수 있는 새야.
   하미: 겨울새는 겨울새끼리 모으자. 고니도 청둥오리와 같이 묶을 수 있어.

2. 1) 사는 곳에 따라 분류했어요.
   2) 물에 사는 동물이에요.

3) 호랑이, 타조, 닭과 함께 묶여 있어요.

3. 2)

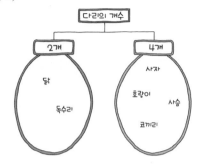

〈3〉 함께 해 봐요

2. 예 네모 모양은 네모 모양끼리 모아요. 네모 모양은 세모 모양과 같이 묶을 수 없어요.

〈4〉 되돌아보기

1.

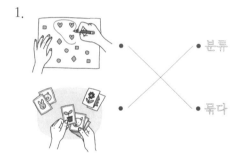

2.

3.

4. 사는 곳, 사자

9단원 · 하나하나 설명해요

〈1〉 순서대로 관찰하고 말하기

2.

①	페트병, 여러 가지 곡식, 꾸미기 재료를 준비하기
②	곡식을 페트병에 넣기
③	페트병의 뚜껑을 닫기

3. 첫 번째, 페트병, 여러 가지 곡식, 꾸미기 재료를 준비해요. 두 번째, 곡식을 페트병에 넣어요. 세 번째, 페트병 뚜껑을 닫아요. 네 번째, 여러 가지 재료로 페트병을 꾸며요.

〈2〉 자연을 관찰하고 쓰기

1. 1) 아이들이 눈의 결정 모양을 보고 있어요.
   2) 별 모양도 있고 뾰족뾰족한 모양도 있어.

2. 별 모양, 뾰족뾰족한 모양, 방패 모양, 가시 모양 등이 있습니다.

4. 뒷다리가 나왔습니다. 꼬리 부분이 조금 짧아졌습니다. 그다음으로 ③번 그림을 보면 앞다리도 나왔습니다. 꼬리 부분이 더 짧아졌습니다. 끝으로 ④번 그림을 보면 개구리가 되었습니다. 뒷다리가 튼튼해지고 앞다리도 길어졌습니다. 눈이 크고 튀어 나와 있습니다.

〈3〉 함께 해 봐요

2. 예 색종이를 반으로 접은 후 또 반으로 접어. 그다음 다시 그 반만 펼치고 그림 ④번처럼

만들어. 그러면 네 부분의 뾰족한 부분이 생겨. 그중 두 부분은 앞쪽으로 접고, 나머지 두 부분은 뒤쪽으로 접어. 그러면 개구리 모양이 돼.

〈4〉 되돌아보기

1. 설명, 곡식, 순서, 꾸미기, 관찰했어요.

2.

①	여러 가지 과일을 먹기 좋게 자르기
②	자른 과일을 큰 그릇에 담기
③	과일이 담긴 그릇에 음료수 붓기

10단원 · 다음에는 무슨 일이

〈1〉 일의 차례 생각하기

2. ①번 그림은 가족들이 바다에 놀러 와서 바다를 바라보고 있는 그림이에요. ②번 그림은 가족들이 바다에서 물놀이를 하고 있는 그림이에요. ③번 그림은 가족들이 준비 운동을 하고 있는 그림이에요. ④번 그림은 가족들이 수영복으로 갈아입는 그림이에요.

3.

4. 가족들이 바다에 놀러 와서 바다를 바라보고 있다. 모두 수영복으로 갈아입는다. 준비 운동을 한다. 다 함께 바다에서 물놀이를 한다.

〈2〉 숨은 내용 찾아보기

1. 1) **예** 그림 ①은 젊어진 할아버지, 할머니가
욕심 많은 할아버지에게 젊어지는 샘물이
어디 있는지 말해 주고 있는 그림이에요. 그
림 ②는 욕심 많은 할아버지가 젊어지는 샘
물을 찾아가고 있는 그림이에요. 그림 ③은
찢어져서 잘 보이지 않아요. 그림 ④는 젊어진
할아버지, 할머니가 샘물에 와 보니 아기가
샘물 옆에서 울고 있는 그림이에요.
2) 욕심 많은 할아버지예요.
3) **예** (찢어진 부분에는) 욕심 많은 할아버지
가 젊어지는 샘물을 많이 마시고 있는 (내용
이 있었을 것 같습니다.)

2. 1) **예** 할아버지는 혹 때문에 노래를 잘 부른
다고 말했을 것 같아요.
2) **예** 도깨비들이 할아버지의 혹을 떼어
가지고 갔을 것 같아요.
3) **예** (찢어진 부분에는) 할아버지는 자기 혹
때문에 노래를 잘 부른다고 말하는 내용이
있었을 것 같습니다. 도깨비들은 할아버지
에게 혹을 주면 자기들이 가지고 있는 도깨
비방망이를 주겠다고 했을 것 같습니다. 도
깨비들에게 방망이를 받은 할아버지는 도깨
비방망이로 집도 만들고 돈도 만들어서 부
자가 되었다는 (내용이 있었을 것 같습니다.)

〈4〉 되돌아보기

2. ② → ③ → ① → ④

〈1〉 조사하는 활동 살펴보기

2. 추석에 대해 알고 싶어 해요.

3. 책에서 찾는 방법, 인터넷에서 찾는 방법,
할머니께 여쭤보는 방법이 있어요.

〈2〉 이야기 속 인물 소개하기

1. 1) 콩이, 팥이, 아주머니, 선녀, 원님이에요./
이야기에는 콩이, 팥이, 아주머니, 선녀, 원님이
나와요.

3. 1) 자신의 힘인 바람을 이용해서 지나가는
사람의 옷을 억지로 벗기려는 (인물입니다.)
2) 토끼는 잘 달리지만 마음을 놓고 있다가
성실한 거북이에게 진다./해님은 따뜻한
빛으로 지나가는 사람이 스스로 옷을 벗게
만든다.

〈4〉 되돌아보기

1. **예** 방법: 요우타가 알고 싶은 것을 조사하는
방법에는 무엇이 있는지 발표해 봅시다.
조사: 추석에 대해 조사해 봅시다.
인물: 옛날이야기에는 어떤 인물이 있을까?
소개: 친구들이 우리 마을을 소개해 주었어요.
완성: 다니엘이 발표할 내용을 완성해 봅시다.

2. 세종대왕이 만든 훈민정음을 널리 알려 백
성들에게 쓰게 한 것을 기념하기 위하여 정
한 국경일이다.

〈1〉 수의 크기 비교하기

1. 1) ① 1, 2, 4
　　　② 2, 4, 3
　　　③ 243
　 2) 243은 124보다 크다./124는 243보다 작다.

2. 317은 154보다 크다./154는 317보다 작다.

〈2〉 여러 가지 모습 비교하기

2. 1) 두 그림에 모두 집이 있어요./두 그림에 모두 호수가 있어요./두 그림에 모두 산이 있어요.
　 2) 겨울 그림에는 나비가 없는데 봄 그림에는 나비가 있어요./겨울 그림에는 꽃이 없는데 봄 그림에는 꽃이 있어요./겨울 그림에는 창문이 닫혀 있는데 봄 그림에는 창문이 열려 있어요./겨울 그림에는 나뭇잎이 없는데 봄 그림에는 나뭇잎이 있어요.

3. 1) 수박과 귤은 모두 둥근 모양이에요./수박은 초록색인데 귤은 주황색이에요./수박은 귤보다 커요.
　 2) ① 같다
　　　② 다르다
　　　③ 다르다
　　　④ 둥근 모양
　　　⑤ 초록색, 주황색
　　　⑥ 작다

〈3〉 함께 해 봐요

2. 예 모양이 같은 물건을 찾아./책과 공책은

모두 네모 모양이야.

〈4〉 되돌아보기

1. 1) 공통점, 2) 사용, 3) 차이, 4) 세다

2. 1) 농구공: 둥근 모양/주황색/야구공보다 큽니다./운동을 할 때 씁니다.
야구공: 둥근 모양/흰색 또는 흰색에 빨간색 줄무늬/농구공보다 작습니다./야구를 할 때 씁니다.
　 2) 공통점: 농구공과 야구공은 모양이 같아요./농구공과 야구공은 모두 둥근 모양이에요./농구공과 야구공은 쓰임이 같아요./농구공과 야구공은 모두 운동을 할 때 써요.
차이점: 농구공과 야구공은 색깔이 달라요./농구공은 주황색인데 야구공은 흰색이에요./농구공과 야구공은 크기가 달라요./농구공이 야구공보다 커요./야구공이 농구공보다 작아요./농구공은 농구를 할 때 사용하고, 야구공은 야구를 할 때 사용해요.

〈1〉 부분으로 나누어 설명하기

1. 1) 자기소개를 하고 있어요.
　 2), 3)

안녕하세요? 저를 소개할게요. 제 이름은 빈센트입니다. 제가 좋아하는 것은 부메랑 놀이입니다. 제가 잘하는 것은 노래 부르기입니다. 제가 알고 있는 케냐 노래를 친구들에게 알려 주고 싶습니다. 앞으로 사이좋게 지냈으면 좋겠습니다.

2. 예

〈2〉 사물의 여러 가지 특징을 찾아보기

2. 1) 부분으로 나누어 살펴보았어요.

   2) 바퀴와 페달을 살펴보았어요.

   3)

   > '자전거' 하면 무엇이 떠오르나요? 자전거를 부분으로 나누어 살펴봅시다. 자전거의 생김새에서 가장 먼저 보이는 것은 바퀴입니다. 자전거에는 두 개의 바퀴가 있습니다. 그리고 페달도 두 개 있습니다. 발로 페달을 밟으면 자전거가 앞으로 나아갑니다.

3.

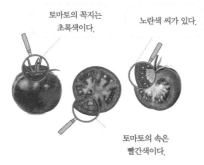

예 토마토에 대해 알아보았다. 토마토는 둥근 모양이다. 토마토는 빨간색의 몸통에 초록색의 꼭지가 있다. 토마토의 속은 빨간색이고 노란색 씨가 있다.

〈3〉 함께 해 봐요

2. 예 사물 이름: 의자
   특징 1: 다리가 네 개이다.
   특징 2: 네모 모양의 등받이가 있다.
   특징 3: 네모 모양의 앉는 자리가 있다.

〈4〉 되돌아보기

1. 1) 생김새, 2) 떠오르다, 3) 특징, 4)알려 주다

2. 1) 생김새

   2) 떠올랐다/떠오르다

   3) 알려 주었다/알려 주다

   4) 특징

3. 1)

2) 예 소고는 둥근 모양의 몸통에 기다란 손잡이가 달려 있다. 몸통은 하얀색이다. 몸통 가운데 빨간색, 노란색, 파란색이 어우러진 둥근 모양이 그려져 있다.

14단원 · 잘 했는지 확인해요

〈1〉 내가 한 일 되돌아보기

2.

〈2〉 친구의 작품 평가하기

1. 1) 평가를 해야 해요.

   2) 잘된 점

3) 고칠 점

2. 1) 달팽이 집을 둥글게 잘 그렸어. 다양한 무늬를 넣어 달팽이 집을 잘 그렸어.
   2) 달팽이 집과 관계없는 강아지는 그리지 않는 것이 좋아.

3. 난 재미있게 표현한 부분도 찾아봐야지.

4. 1) 이글루를 그렸어요.
   2) ㉖ 집 모양을 둥글게 잘 그렸어요./들어가는 입구까지 자세히 잘 그렸어요./눈이 내리는 모습이 있어 추운 나라인 것을 잘 알 수 있어요./이글루를 다양한 색깔로 재미있게 표현했어요./추운 날씨에 어울리게 작은 아이도 두꺼운 옷을 입게 그렸으면 좋겠어요.

〈3〉 함께 해 봐요

2. ㉖ 겨울 느낌이 나게 눈이 덮인 모습을 잘 그렸어./친구와 눈싸움을 하는 모습이 잘 드러나게 그렸어./지민이도 너와 같은 크기로 그렸으면 좋겠어.

〈4〉 되돌아보기

1. 1) 실천
   2) 작품
   3) 알맞다
   4) 드러나다

2. ㉖ 매일 줄넘기하기를 실천했다./친구의 작품을 살펴보았다./알맞은 답을 찾았다./친구의 기분이 표정에 드러났다.

3. 1) ㉖ 방 청소를 하고 있는 모습

2) ㉖ 내 방을 스스로 청소하는 나를 칭찬합니다.

15단원 · 어떻게 해결할까요

〈1〉 과학 문제 해결하기

1. 1) 곰, 뱀, 개구리
   2) 겨울잠은 왜 자는 걸까?
   3) 조사하기예요.

2. 1) 먹을 것이 없기 때문입니다.
   2) 추운 바깥에 있으면 얼어 죽기 때문입니다.

〈2〉 칠교판으로 모양 만들기

1. 2) 칠교판이 필요해요.

2. 2)

3. 2)

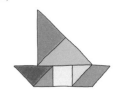

4. 1) 주어진 모양과 지민이가 만든 모양이 달라요.
   3)

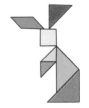

〈3〉 함께 해 봐요

2. ⑩ 나: 배 모양
   친구 1: 여우 모양
   친구 2: 나무 모양

〈4〉 되돌아보기

1. 제시한 낱말 카드 중에 두 개를 이용해서
   문장을 만들었다./내가 추측한 내용이 맞는
   답이었다./안전하게 체험 학습을 하기 위해
   서는 주의해야 할 점이 많다.

2. 1) 겨울잠을 자는 동물이 궁금해요.
   2) 책에서 찾아본다.

16단원 · 발명가가 될래요

〈1〉 발명하고 싶은 물건 소개하기

2. ⑩ 자신의 얼굴을 그리거나(생략) 자기
   이름 쓰기/저는 스스로 움직이는 가방을
   발명하고 싶어요. 가방이 스스로 움직이면
   이동할 때 편할 것 같아요./발명품 그림
   (생략)

〈4〉 되돌아보기

1. 상상 – 실제 일어나지 않는 것을 생각해 냄.
   직접 – 중간에 아무것도 없이 바로
   일기 – 오늘 하루 있었던 특별한 일이나
   특별한 주제에 대해 쓴 글
   발명 – 세상에 없는 것을 만들어 냄.
   표현 – 느낌, 생각 등을 말이나 글, 몸짓,
   그림 등으로 나타냄.

어휘 색인

담당 연구원 ——

정혜선 국립국어원 학예연구사
박지수 국립국어원 연구원

집필진 ——

책임 집필

이병규 서울교육대학교 국어교육과 교수

공동 집필

박지순 연세대학교 글로벌인재학부 교수 　　**박창균** 대구교육대학교 국어교육과 교수
손희연 서울교육대학교 국어교육과 교수 　　**박혜연** 서울교대부설초등학교 교사
안찬원 서울창도초등학교 교사 　　　　　　**박효훈** 서울원명초등학교 교사
오경숙 서강대학교 전인교육원 교수 　　　　**신윤정** 서울도림초등학교 교사
이효정 국민대학교 교양대학 교수 　　　　　**이은경** 세종사이버대학교 한국어학과 교수
김세현 서울명신초등학교 교사 　　　　　　**이현진** 서울천일초등학교 교사
김정은 서울가원초등학교 교사 　　　　　　**최근애** 서울사근초등학교 교사
박유현 연세대학교 언어연구교육원 한국어학당 강사 　**강수연** 서울선곡초등학교 다문화언어 교원

초등학생을 위한
표준 한국어
학습 도구 1~2학년

ⓒ 국립국어원 기획 | 이병규 외 집필

초판 1쇄 발행 | 2019년 2월 28일
초판 3쇄 발행 | 2022년 12월 16일

기획 | 국립국어원
지은이 | 이병규 외
발행인 | 정은영
책임 편집 | 한미경
디자인 | 디자인붐
일러스트 | 우민혜, 민효인, 김채원
사진 제공 | 셔터스톡, 보림　　음악 | KOMCA 승인 필

펴낸곳 | 마리북스
출판 등록 | 제2019-000292호
주소 | (04053) 서울시 마포구 양화로 59 화승리버스텔 503호
전화 | 02) 336-0729
팩스 | 070) 7610-2870
인쇄 | (주)금명문화

ISBN 978-89-94011-97-4(64710)
　　　978-89-94011-96-7(64710) set

10단원 다음에는 무슨일이(125쪽)

8단원 나누어 보고 묶어 보고(100쪽)

9단원 하나하나 설명해요(113쪽)

곡식을 페트병에 넣기.

페트병, 여러 가지 곡식,
꾸미기 재료 준비하기.

페트병 뚜껑 닫기.

부록 • 8단원

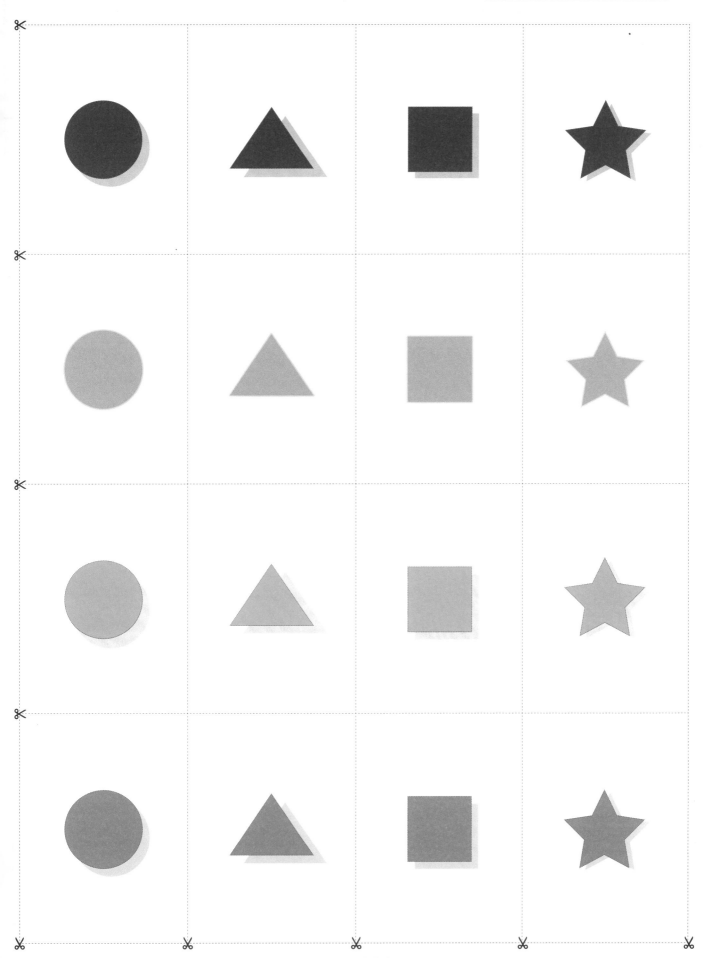

칠교판 ● 잘라서 사용 하세요.

부록 • 15단원

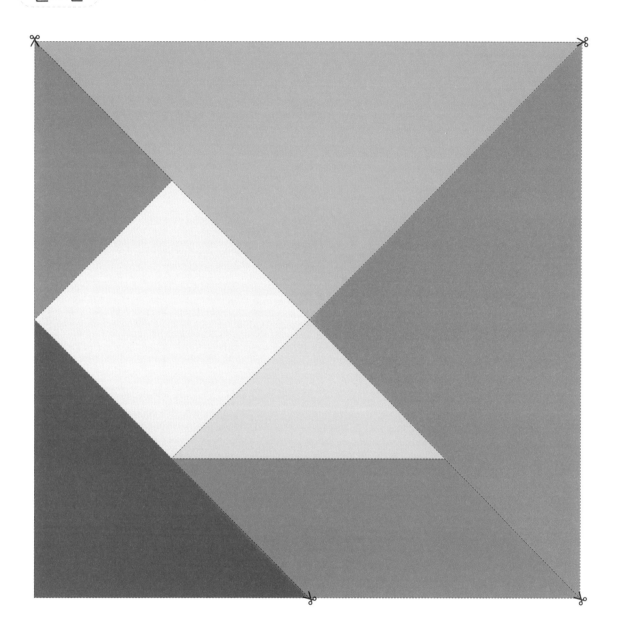

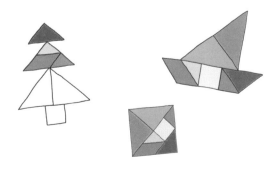